#홈스쿨링
#초등 영어 기초력

요즘은 혼공시대!
사교육 없이도 영어 기초력을 탄탄하게 쌓아 올리는 법,
똑똑한 하루 VOCA가 정답입니다.
똑똑한 엄마들이 선택하는 똑똑한 교재!
엄마들의 영어 고민을 덜어 줄 어휘 교재로 강추합니다.

영어책 만드는 엄마_ **이지은**

영어는 스스로 재미를 느끼며 공부해야 실력이 늘어요.
똑똑한 하루 VOCA는 자기주도학습을 매일 실천할 수 있도록
설계되어 있어, 따라 하기만 해도 공부 습관을 키울 수 있어요.
재미있는 만화와 이미지 연상을 통해 영어 단어를 오래
기억하며 알차게 공부할 수 있어요.

미쉘 Michelle TV_ **김민주**

#알파벳과 파닉스부터 #교과서의 단어와 문장까지 #똑똑하게 초등 어휘 완성하기

똑똑한 하루 VOCA 시리즈 구성 (Level 1~4)

Level 1 A, B	Level 2 A, B	Level 3 A, B	Level 4 A, B
3학년 과정	4학년 과정	5학년 과정	6학년 과정

4주 완성 스케줄표

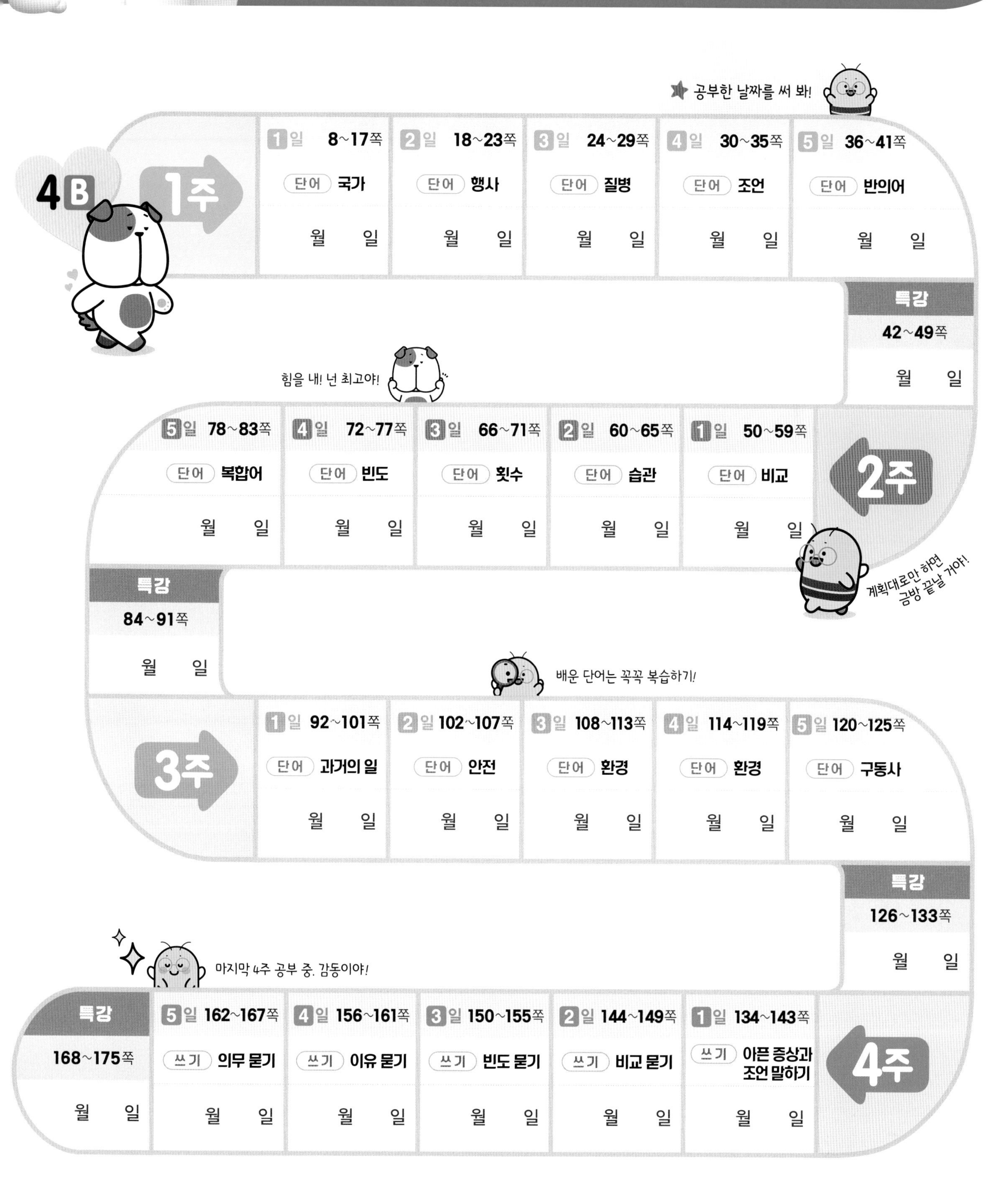

주	일	쪽	내용	날짜
1주	1일	8~17쪽	단어 국가	월 일
	2일	18~23쪽	단어 행사	월 일
	3일	24~29쪽	단어 질병	월 일
	4일	30~35쪽	단어 조언	월 일
	5일	36~41쪽	단어 반의어	월 일
	특강	42~49쪽		월 일
2주	1일	50~59쪽	단어 비교	월 일
	2일	60~65쪽	단어 습관	월 일
	3일	66~71쪽	단어 횟수	월 일
	4일	72~77쪽	단어 빈도	월 일
	5일	78~83쪽	단어 복합어	월 일
	특강	84~91쪽		월 일
3주	1일	92~101쪽	단어 과거의 일	월 일
	2일	102~107쪽	단어 안전	월 일
	3일	108~113쪽	단어 환경	월 일
	4일	114~119쪽	단어 환경	월 일
	5일	120~125쪽	단어 구동사	월 일
	특강	126~133쪽		월 일
4주	1일	134~143쪽	쓰기 아픈 증상과 조언 말하기	월 일
	2일	144~149쪽	쓰기 비교 묻기	월 일
	3일	150~155쪽	쓰기 빈도 묻기	월 일
	4일	156~161쪽	쓰기 이유 묻기	월 일
	5일	162~167쪽	쓰기 의무 묻기	월 일
	특강	168~175쪽		월 일

똑똑한 하루 VOCA 4B

똑똑한 QR앱 사용법

앱을 다운 받으세요.

방법 1
QR 음원 편리하게 듣기

1. 앱 실행하기
2. 교재의 QR 코드 찍기

링크 없이 음원이 자동 재생!

방법 2
모든 음원 바로 듣기

1. 앱 우측 하단의  버튼 클릭
2. 해당 Level → 주 → 일 클릭!

원하는 음원 찾아 듣기와 찬트 모아 듣기 가능!

편하고 똑똑하게!

Chunjae Makes Chunjae

편집개발	김윤미, 하유미, 한새미, 박영미
디자인총괄	김희정
표지디자인	윤순미, 박민정
내지디자인	박희춘, 이혜미
삽화	윤병철, 오연주, 김동윤, 베로니카
제작	황성진, 조규영
발행일	2021년 4월 1일 초판 2021년 4월 1일 1쇄
발행인	(주)천재교육
주소	서울시 금천구 가산로9길 54
신고번호	제2001-000018호
고객센터	1577-0902
교재 내용문의	(02)3282-8885

※ 정답 분실 시에는 천재교육 교재 홈페이지에서 내려받으세요.
※ KC 마크는 이 제품이 공통안전기준에 적합하였음을 의미합니다.
※ 주의
책 모서리에 다칠 수 있으니 주의하시기 바랍니다.
부주의로 인한 사고의 경우 책임지지 않습니다.
8세 미만의 어린이는 부모님의 관리가 필요합니다.

똑 똑 한 하루 VOCA

4B

6학년 영어

똑똑한 하루 VOCA ★ LEVEL 4 B ★

구성과 활용 방법

한 주 미리보기

미리보기 활동

미리보기 만화

단어 1~3주

step 1

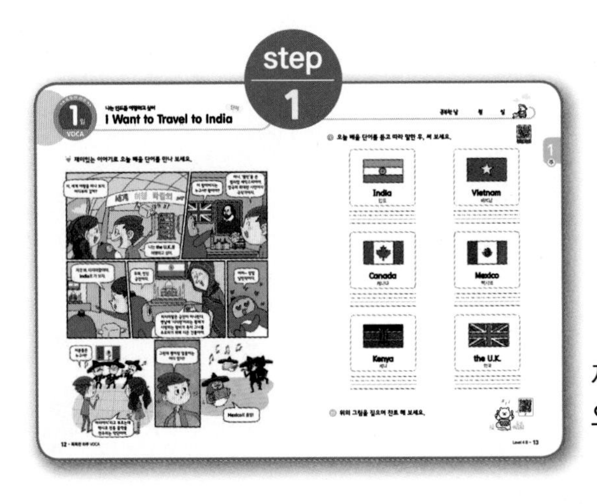

재미있는 만화를 읽으며
오늘 배울 단어의 의미를 추측해요.

step 2

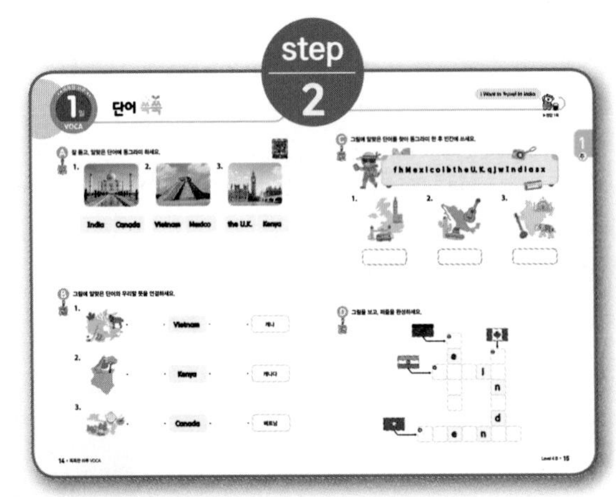

듣기부터 쓰기까지 다양한 문제를 풀어 보며
단어를 익혀요.

step 3

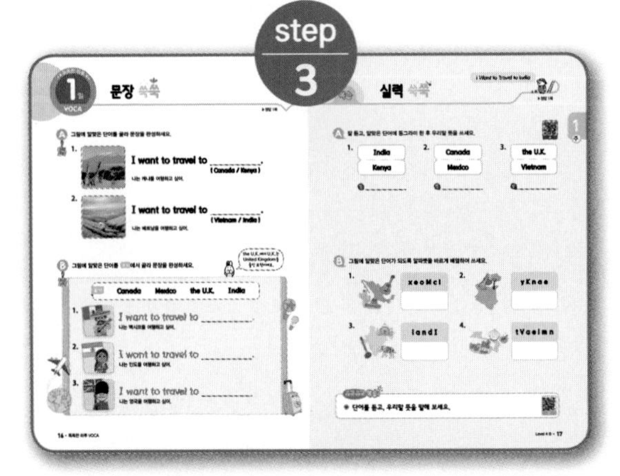

• 의미를 생각하며 문장 속에서 단어를 익혀요.
• 오늘 배운 단어를 복습하며 확인해요.

QR앱을 다운 받아 보세요!

재미있는 만화를 읽으며
오늘 배울 표현의 의미를 추측해요.

단어와 표현의 의미를 생각하며 문장을 써요.

• 배운 표현의 의미를 생각하며 대화를 완성해요.
• 스스로 생각해서 문장을 써요.

Brain Game Zone

한 주 동안 배운 내용을 창의·사고력 게임으로
재미는 두 배, 사고력은 UP!

말판 놀이

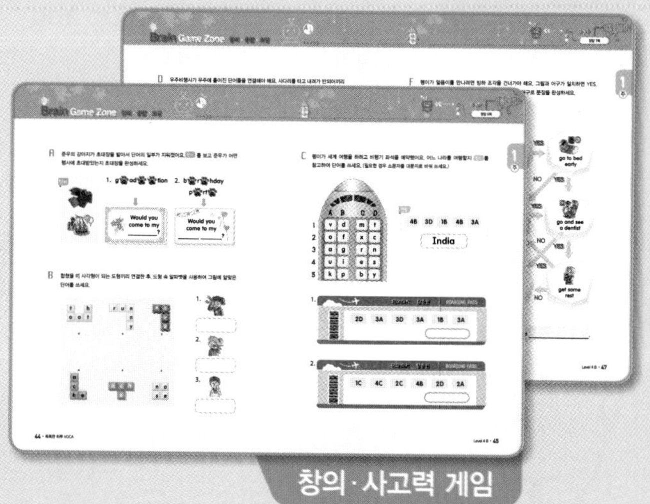

창의·사고력 게임

똑똑한 하루 VOCA

공부할 내용

1주 단어

2주 단어

3주
단어

4주
쓰기

SPECIAL VOCA 미리 보기

반의어

서로 반대되는 뜻을 가진 단어를 말해요.

예 'cold(춥다)'와 'hot(덥다)'은 온도의 높고 낮음을 나타내는 반의어예요.

복합어

두 개 이상의 단어가 합쳐져서 새롭게 만들어진 단어를 말해요.

예 'snow(눈)'와 'man(남자)'이 합쳐져서 복합어 'snowman(눈사람)'이 돼요.

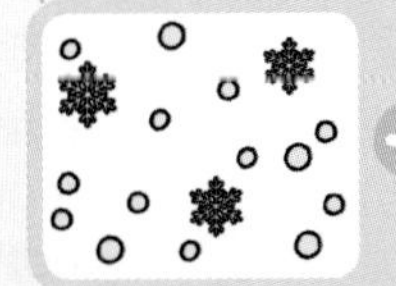

다의어

두 가지 이상의 뜻을 가진 단어를 말해요.

예 fall은 '가을'이라는 뜻도 있지만 '떨어지다'라는 뜻도 있어요.

❶ 

❷ 

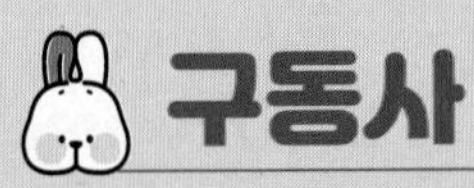

구동사

두 개 이상의 단어가 합쳐져서 새로운 의미의 동작을 나타내는 어구를 말해요.

예 'put(놓다)'과 'on(~ 위에)'이 함께 쓰여 'put on(입다, 신다)'이 돼요.

put

on

=

함께 공부할 친구들

펭이랑 제일 친한 애

얼음이

좋아하는 것: 펭이와 놀기
싫어하는 것: 사우나
잘하는 것: 친구 위로하기

자기 고향이 남극인 줄 아는 로봇 펭귄

펭이

좋아하는 것: 생선
싫어하는 것: 상어
잘하는 것: 춤추기, 길 찾기

똑똑하고 친절한 친구

은별

나이: 13살
좋아하는 것: 인라인스케이트 타기
싫어하는 것: 썰렁한 농담 듣기

코미디언이 꿈이지만 안 웃긴 친구

준우

나이: 13살
좋아하는 것: 친구들 웃기기
싫어하는 것: 치과 가기

친구 같은 과학 선생님

선생님

좋아하는 것: 공상하기
싫어하는 것: 비 오는 날씨

1주 1주에는 무엇을 공부할까? ①

재미있는 이야기로 이번 주에 공부할 내용을 알아보세요.

伞[싼]
우산
散[싼]
흩어지다, 헤어지다
우산도 이별을 뜻하는 단어와 발음이 같아서 중국에서는 선물하지 않는 것 같던데.
너 정말 중국 전문가 맞아?
미안…. 선물은 네가 고르는 게 낫겠어.
그럼 뭘 하지?
중국 사람들은 빨간색과 판다를 좋아하니까 이 양말 어때?
양양
이번 주에는 국가, 행사, 질병과 조언에 관한 단어와 어구, 그리고 반의어에 관해 재미있게 공부해 보자.

1주차 공부할 내용

1주에는 무엇을 공부할까? ②

A

◉ 여러분이 여행하고 싶은 나라에 동그라미 해 보세요.

B

◉ 여러분이 아파 본 적이 있는 그림에 ✓ 표 해 보세요.

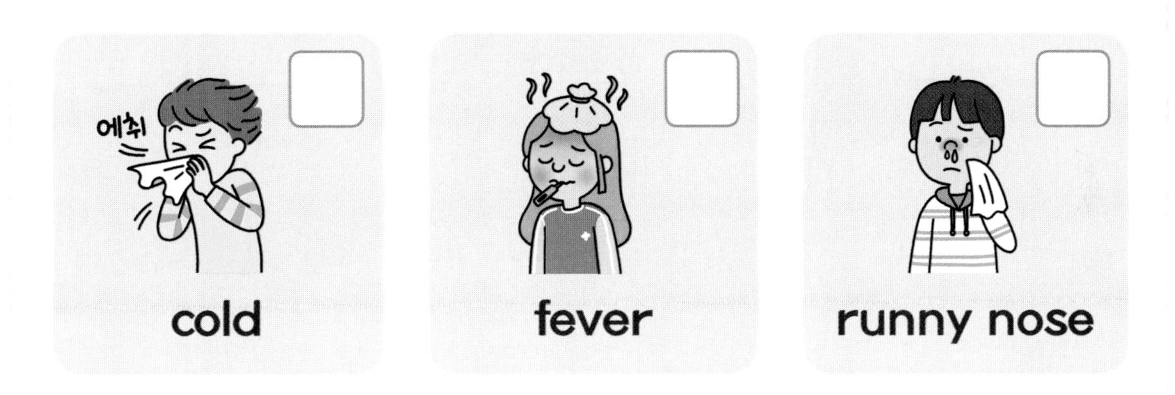

나는 인도를 여행하고 싶어

단어

I Want to Travel to India

재미있는 이야기로 오늘 배울 단어를 만나 보세요.

1 주

오늘 배울 단어를 듣고 따라 말한 후, 써 보세요.

India
인도

Vietnam
베트남

Canada
캐나다

Mexico
멕시코

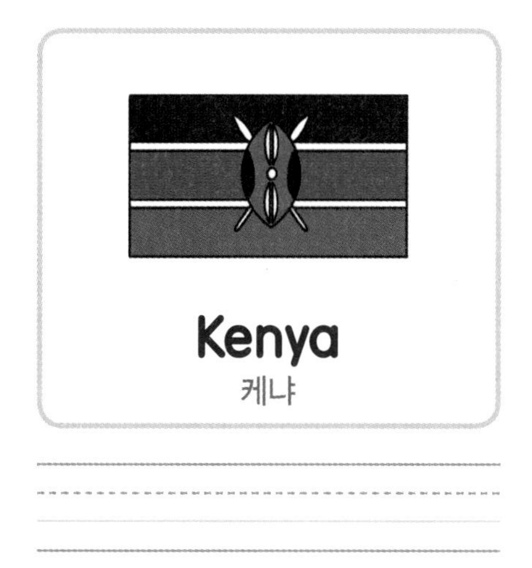

Kenya
케냐

the U.K.
영국

위의 그림을 짚으며 찬트 해 보세요.

단어 쑥쑥

잘 듣고, 알맞은 단어에 동그라미 하세요.

1. 

India Canada

2. 

Vietnam Mexico

3. 

the U.K. Kenya

그림에 알맞은 단어와 우리말 뜻을 연결하세요.

1.  • • Vietnam • • 케냐

2. 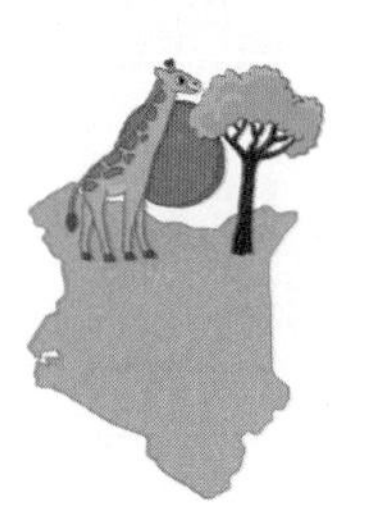 • • Kenya • • 캐나다

3.  • • Canada • • 베트남

▶정답 1쪽

C 그림에 알맞은 단어를 찾아 동그라미 한 후 빈칸에 쓰세요.

단어 쓰기

1.

2.

3.

D 그림을 보고, 퍼즐을 완성하세요.

단어 완성

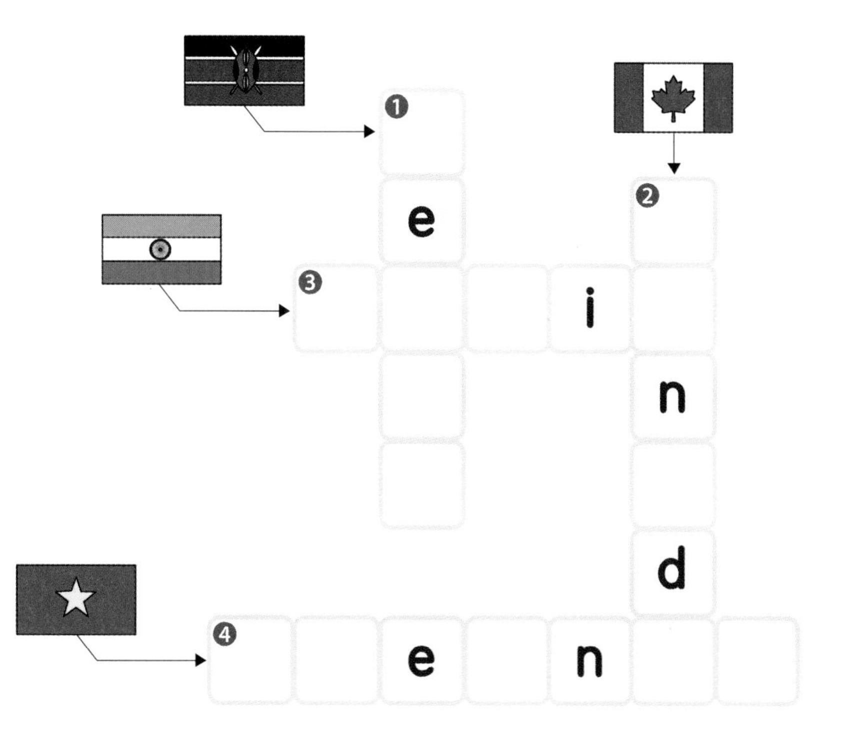

문장 쑥쑥

▶정답 1쪽

A 그림에 알맞은 단어를 골라 문장을 완성하세요.

문장 완성

1\.

I want to travel to ______________.
(Canada / Kenya)

나는 케냐를 여행하고 싶어.

2\.

I want to travel to ______________.
(Vietnam / India)

나는 베트남을 여행하고 싶어.

B 그림에 알맞은 단어를 보기에서 골라 문장을 완성하세요.

the U.K.에서 U.K.는 United Kingdom을 줄인 표현이에요.

문장 쓰기

보기	Canada	Mexico	the U.K.	India

1\.

I want to travel to ______________.
나는 멕시코를 여행하고 싶어.

2\.

I want to travel to ______________.
나는 인도를 여행하고 싶어.

3\.

I want to travel to ______________
나는 영국을 여행하고 싶어.

복습 실력 쑥쑥

▶정답 1쪽

1주

A 잘 듣고, 알맞은 단어에 동그라미 한 후 우리말 뜻을 쓰세요. 4

1. India / Kenya
   뜻 ______

2. Canada / Mexico
   뜻 ______

3. the U.K. / Vietnam
   뜻 ______

B 그림에 알맞은 단어가 되도록 알파벳을 바르게 배열하여 쓰세요.

1. 
   x e o M c i
   ______

2. 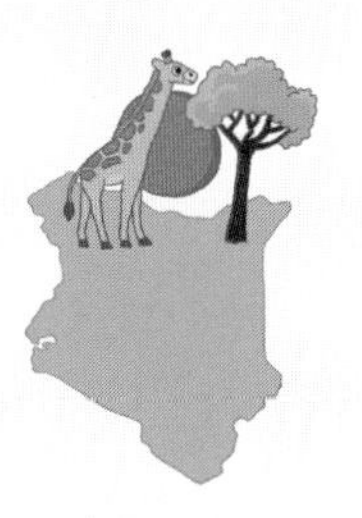
   y K n a e
   ______

3. 
   i a n d I
   ______

4. 
   t V a e i m n
   ______

◉ 단어를 듣고, 우리말 뜻을 말해 보세요.

내 졸업식에 올래?

단어

Would You Come to My Graduation?

재미있는 이야기로 오늘 배울 단어를 만나 보세요.

오늘 배울 단어를 듣고 따라 말한 후, 써 보세요.

graduation
졸업식

birthday party
생일 파티

piano concert
피아노 연주회

talent show
장기 자랑

movie festival
영화 축제

Sports Day
운동회

위의 그림을 짚으며 찬트 해 보세요.

단어 쑥쑥

A 잘 듣고, 알맞은 단어를 골라 기호를 쓰세요.

단어 듣기

ⓐ Sports Day ⓑ piano concert ⓒ graduation

1. 

2. 

3. 

B 그림에 알맞은 단어를 연결하세요.

의미 연결

1. 

생일 파티

2. 

피아노 연주회

- talent show
- movie festival
- piano concert
- birthday party

3. 

영화 축제

4. 

장기 자랑

▶정답 2쪽

그림에 알맞은 단어를 보기 에서 골라 쓰세요.

단어 쓰기

보기 talent show　piano concert　birthday party

1.

2.

3.

잘 듣고, 그림에 알맞은 단어를 완성하세요.

단어 완성

1.

rad　a　ion

2.

S　or　s D　y

3.

mo　ie　esti　al

문장 쑥쑥

▶정답 2쪽

A 그림에 알맞은 단어를 골라 문장을 완성하세요.

1. 

Would you come to the ______________?

(movie festival / piano concert)

영화 축제에 올래?

2. 

Would you come to the ______________?

(birthday party / talent show)

장기 자랑에 올래?

B 그림에 알맞은 단어를 보기 에서 골라 문장을 완성하세요.

'Would you come to+
행사 이름?'은 상대방을 행사에
초대하는 표현이에요.

문장 쓰기

보기 piano concert graduation birthday party

1. 

Would you come to my ______________?

내 졸업식에 올래?

2. Would you come to my ______________?

내 피아노 연주회에 올래?

3. 

Would you come to my ______________?

내 생일 파티에 올래?

실력 쑥쑥

▶정답 2쪽

잘 듣고, 알맞은 단어에 동그라미 한 후 우리말 뜻을 쓰세요.

1. graduation / birthday party
   뜻 ______
2. talent show / movie festival
   뜻 ______
3. Sports Day / piano concert
   뜻 ______

B 그림에 알맞은 단어가 되도록 알파벳을 바르게 배열하여 쓰세요.

1. 

______
(n d a g o t u a i r)

2. 

______ ______
(t p S o s r) (a y D)

3. 

______ ______
(v e o i m) (e l s t v f a i)

차곡차곡 복습!

◉ 단어를 듣고, 우리말 뜻을 말해 보세요.

나는 감기에 걸렸어

단어

I Have a Cold

재미있는 이야기로 오늘 배울 단어를 만나 보세요.

오늘 배울 단어를 듣고 따라 말한 후, 써 보세요.

cold
감기

fever
열

runny nose
콧물

headache
두통

toothache
치통

stomachache
복통

위의 그림을 짚으며 찬트 해 보세요.

단어 쑥쑥

A 잘 듣고, 알맞은 단어에 동그라미 하세요.

1. 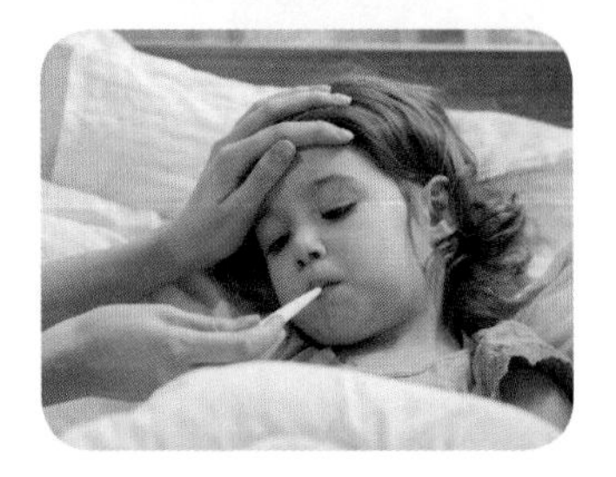

fever / toothache

2. 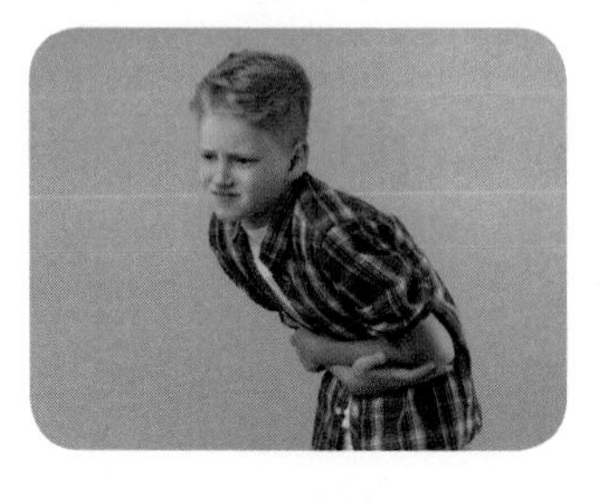

cold / stomachache

3. 

runny nose / headache

B 그림에 알맞은 단어와 우리말 뜻을 연결하세요.

1.  • • cold • • 두통

2.  • • toothache • • 치통

3.  • • headache • • 감기

▶정답 3쪽

C 그림에 알맞은 단어를 찾아 동그라미 한 후 빈칸에 쓰세요.

단어 쓰기

1.

2.

3.

D 그림을 보고, 퍼즐을 완성하세요.

단어 완성

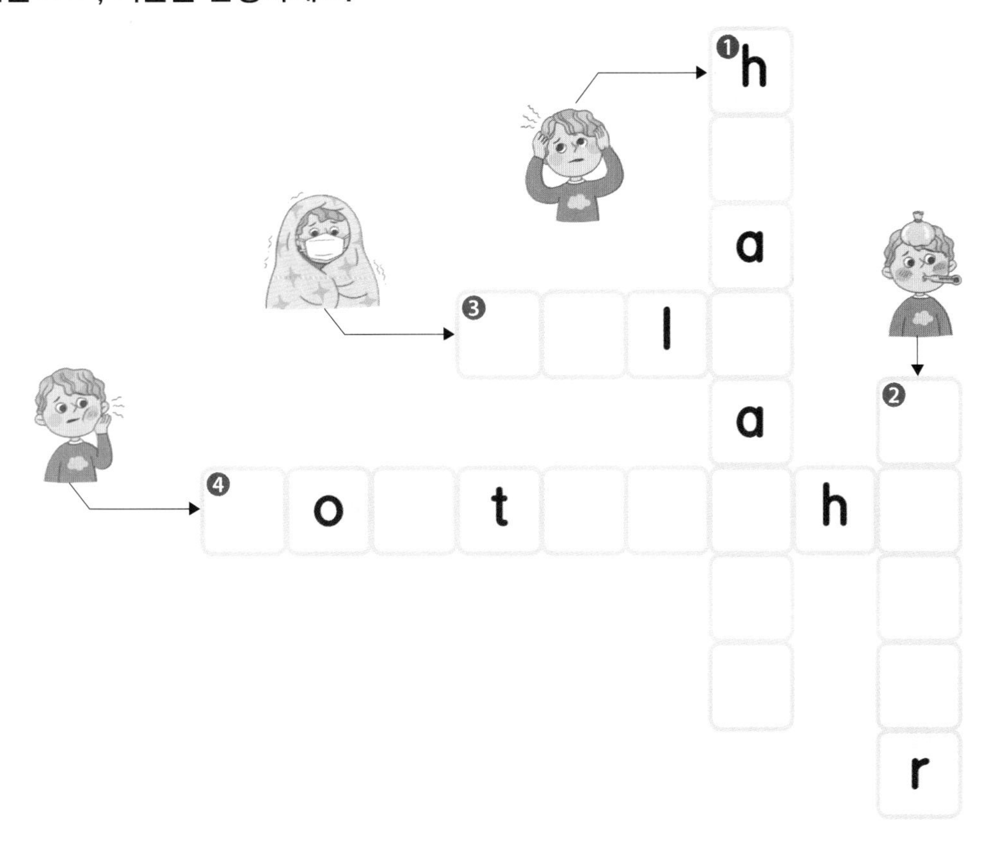

문장 쑥쑥

▶정답 3쪽

A 그림에 알맞은 단어를 골라 문장을 완성하세요.

문장 완성

1.

I have a ______________.
(cold / fever)
나는 감기에 걸렸어.

2.

I have a ______________.
(toothache / headache)
나는 머리가 아파.

B 그림에 알맞은 단어를 보기에서 골라 문장을 완성하세요.

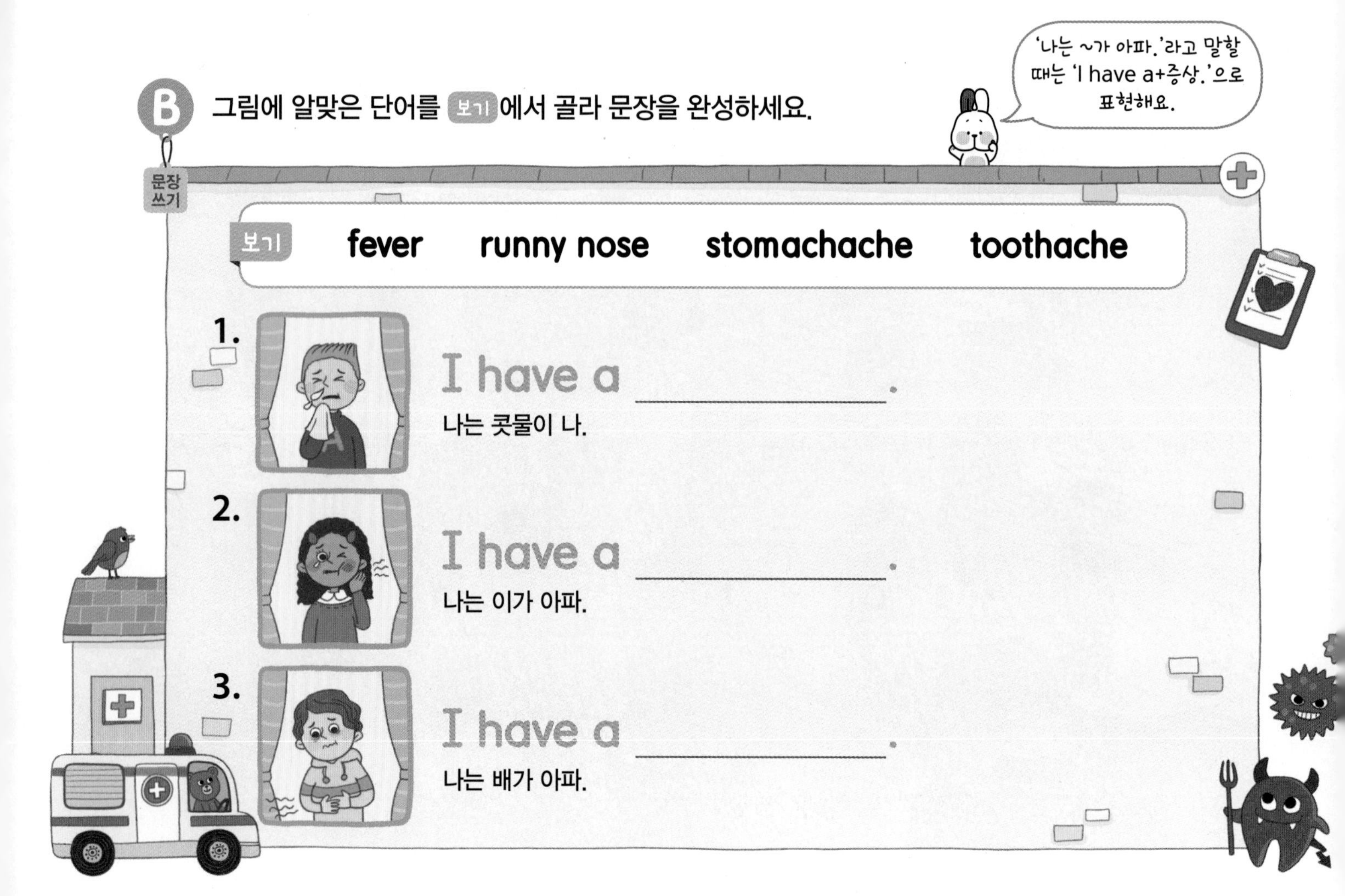

'나는 ~가 아파.'라고 말할 때는 'I have a+증상.'으로 표현해요.

문장 쓰기

보기 fever runny nose stomachache toothache

1. I have a ______________.
나는 콧물이 나.

2. I have a ______________.
나는 이가 아파.

3. I have a ______________.
나는 배가 아파.

▶정답 3쪽

A 잘 듣고, 알맞은 단어에 동그라미 한 후 우리말 뜻을 쓰세요.

4

1. cold / fever

뜻 ____________

2. stomachache / headache

뜻 ____________

3. toothache / runny nose

뜻 ____________

B 그림에 알맞은 단어가 되도록 알파벳을 바르게 배열하여 쓰세요.

1. 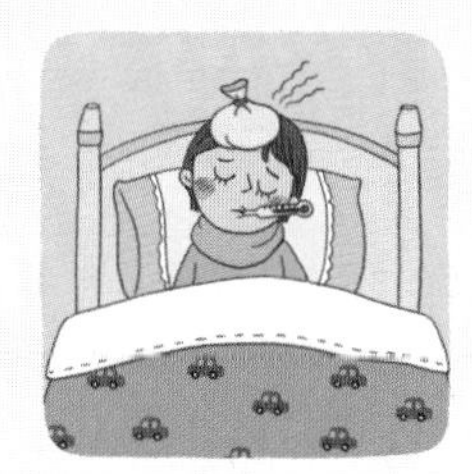

e v r e f

2. 

n u r n y o e n s

3. 

o h c t a e o h t

4. 

c m t c o e h a s h a

◉ 단어를 듣고, 우리말 뜻을 말해 보세요.

5

너는 쉬어야 해

You Should Get Some Rest

단어

재미있는 이야기로 오늘 배울 어구를 만나 보세요.

오늘 배울 어구를 듣고 따라 말한 후, 써 보세요.

get some rest
쉬다

go to bed early
일찍 자다

drink warm water
따듯한 물을 마시다

take some medicine
약을 먹다

go and see a doctor
병원에 가다

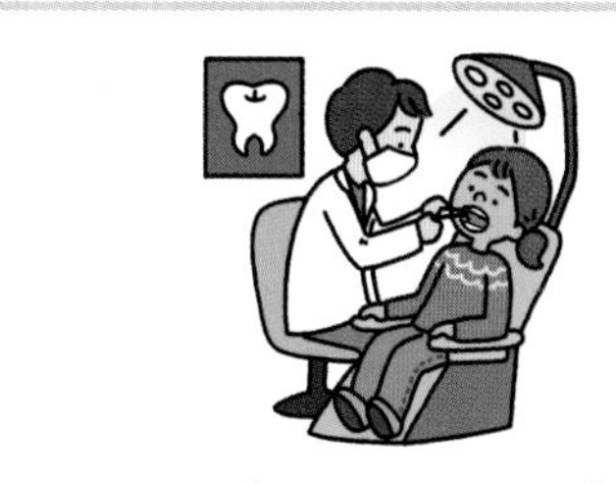

go and see a dentist
치과에 가다

위의 그림을 짚으며 찬트 해 보세요.

단어 쑥쑥

A 잘 듣고, 알맞은 어구를 골라 기호를 쓰세요.

ⓐ get some rest ⓑ go and see a dentist ⓒ go to bed early

1. 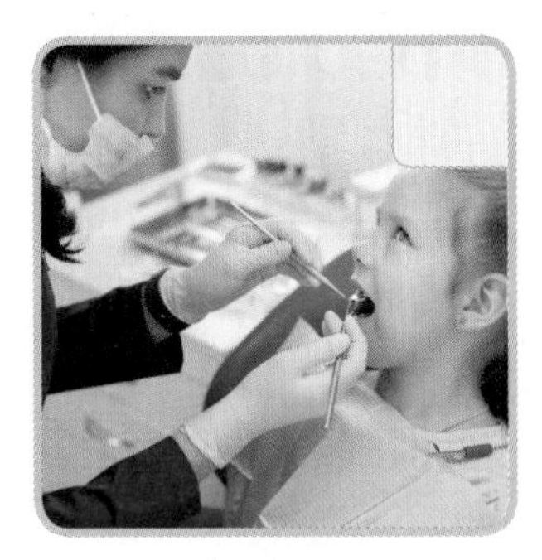

2. 

3. 

B 그림에 알맞은 어구를 연결하세요.

1. 
약을 먹다

2. 
쉬다

- get some rest
- drink warm water
- take some medicine
- go and see a doctor

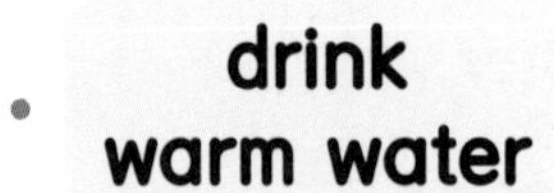

3. 
병원에 가다

4. 
따뜻한 물을 마시다

▶정답 4쪽

그림에 알맞은 어구를 보기 에서 골라 쓰세요.

어구 쓰기

보기 get some rest drink warm water take some medicine

1.

2.

3.

D 잘 듣고, 그림에 알맞은 어구를 완성하세요.

어구 완성

1.

go to b d e rl

2.

go and se a d ct r

3.

go and ee a ent st

문장 쑥쑥

▶정답 4쪽

A 그림에 알맞은 어구를 골라 문장을 완성하세요.

1. 

You should ______________________.
(take some medicine / drink warm water)
너는 약을 먹어야 해.

2. 

You should ______________________.
(get some rest / go and see a doctor)
너는 병원에 가야 해.

B 그림에 알맞은 어구를  보기 에서 골라 문장을 완성하세요.

'You should+동작을 나타내는 말.'은 상대방에게 충고하는 표현이에요.

문장 쓰기

보기 drink warm water   get some rest   go to bed early

1. 

You should ______________________.
너는 쉬어야 해.

2. 

You should ______________________.
너는 일찍 자야 해.

3. 

You should ______________________.
너는 따듯한 물을 마셔야 해.

복습 실력 쑥쑥

▶정답 4쪽

A 잘 듣고, 알맞은 어구에 동그라미 한 후 우리말 뜻을 쓰세요.

1. go and see a dentist / get some rest → 뜻

2. drink warm water / go and see a doctor → 뜻

3. go to bed early / take some medicine → 뜻

B 그림에 알맞은 어구가 되도록 단어를 바르게 배열하여 쓰세요.

1. 

____
(to / early / go / bed)

2. 

____
(doctor / and / a / see / go)

3. 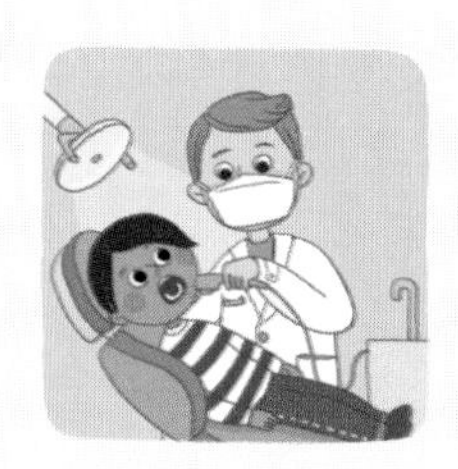

____
(see / go / a / and / dentist)

차곡차곡 복습!

◉ 단어나 어구를 듣고, 우리말 뜻을 말해 보세요.

스페셜

SPECIAL VOCA

반대의 뜻을 가진

반의어

재미있는 이야기로 오늘 배울 단어를 만나 보세요.

오늘 배울 단어를 들으며 따라 말해 보세요.

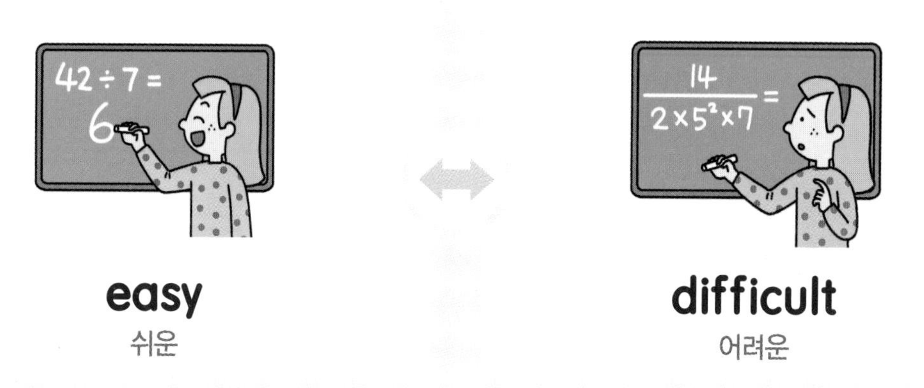

easy
쉬운

difficult
어려운

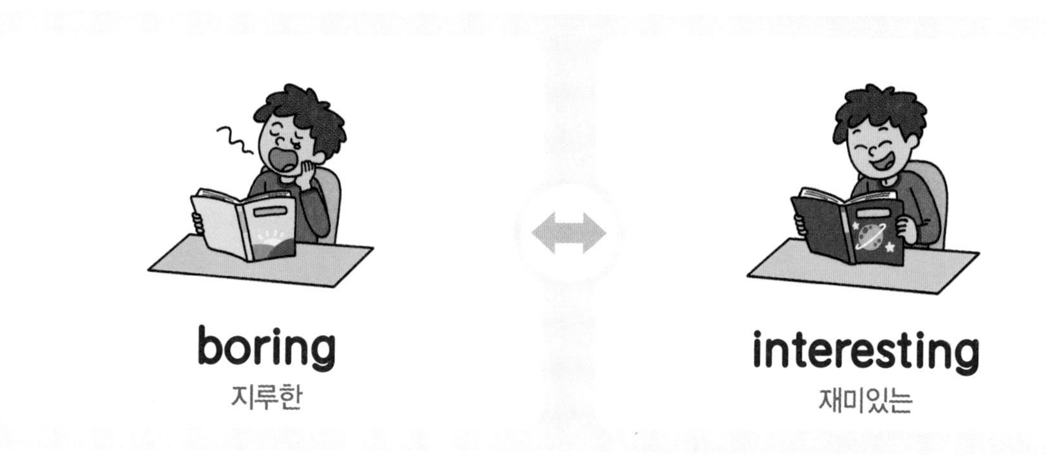

boring
지루한

interesting
재미있는

cheap
값이 싼

expensive
값이 비싼

위의 그림을 짚으며 찬트 해 보세요.

단어 쑥쑥

A 잘 듣고, 알맞은 단어를 골라 기호를 쓰세요.

ⓐ cheap ⓑ difficult ⓒ boring

1. 

2. 

3. 

B 그림에 알맞은 단어를 골라 동그라미 한 후, 반대의 뜻을 가진 단어와 연결하세요.

의미 연결

1. 
쉬운

easy / cheap • • cheap

2. 

값이 비싼

boring / expensive • • boring

3. 
재미있는

difficult / interesting • • difficult

C 그림에 알맞은 단어를 보기 에서 골라 쓰세요.

단어 쓰기

보기 easy boring difficult interesting

1.

2.

3.

4.

D 그림에 알맞은 단어를 완성하세요.

단어 완성

1.

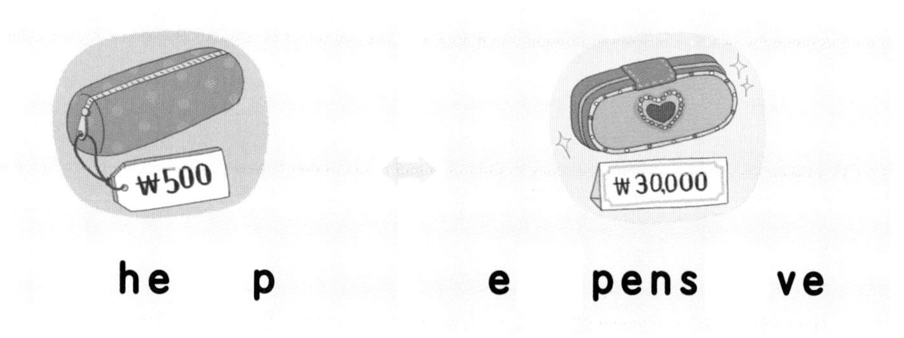

he p e pens ve

2.

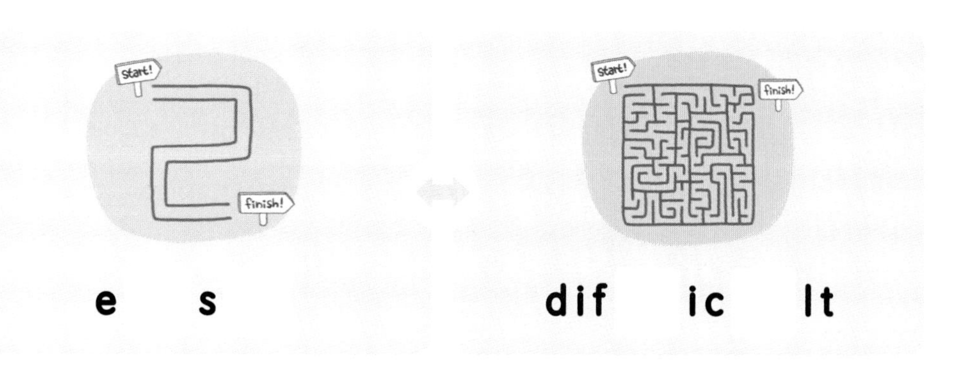

e s dif ic lt

단어 쑥쑥 플러스

▶정답 5쪽

◉ 그림에 알맞은 단어를 보기 에서 골라 쓴 후, 반대의 뜻을 가진 단어와 연결하세요.

보기 easy interesting cheap boring difficult expensive

1. 지루한

2. 값이 비싼

3. 어려운

4. 재미있는

5. 값이 싼

6. 쉬운

복습 실력 쑥쑥

▶정답 5쪽

A 잘 듣고, 알맞은 단어에 동그라미 한 후 우리말 뜻을 쓰세요.

1. boring / interesting
   뜻 ______
2. easy / difficult
   뜻 ______
3. cheap / expensive
   뜻 ______

B 그림에 알맞은 단어가 되도록 알파벳을 바르게 배열하여 쓰세요.

1. 

a c e p h

2. 

u l d f i c t i f

3. 

n b i g o r

4. 

n e s e p x v i e

차곡차곡 복습!

◉ 단어나 어구를 듣고, 우리말 뜻을 말해 보세요.

창의 · 융합 · 코딩 Brain Game Zone

배운 내용을 떠올리며 말판 놀이를 해 보세요.

START
1. 그림을 보고 알맞은 단어에 동그라미 하세요.
India
Vietnam
2. 어구를 읽고 알맞은 그림에 동그라미 하세요.
take some medicine
3. 단어를 읽고 알맞은 우리말 뜻과 연결하세요.
cold
fever
열
감기
4. 그림과 단어가 일치하면 ○ 표, 일치하지 않으면 × 표 하세요.
Sports Day
5. 그림을 보고 알파벳을 바르게 배열하여 단어를 쓰세요.
ahehaced
6. 그림에 알맞은 단어를 완성하세요.
g__adu__t__on

7. 그림을 보고 알맞은 단어에 동그라미 하세요.
42÷7=6
easy
difficult
8. 어구를 읽고 알맞은 그림에 동그라미 하세요.
go and see a dentist
9. 그림에 알맞은 단어를 완성하세요.
t__l__nt ____ow
10. 그림을 보고 알파벳을 바르게 배열하여 단어를 쓰세요.
xoiMce
→ ________
11. 그림과 어구가 일치하면 ○ 표, 일치하지 않으면 × 표 하세요.
go to bed early
FINISH
12. 단어를 읽고 반의어끼리 연결하세요.
boring • • interesting
cheap • • expensive

A 준우의 강아지가 초대장을 밟아서 단어의 일부가 지워졌어요. 단서를 보고 준우가 어떤 행사에 초대받았는지 초대장을 완성하세요.

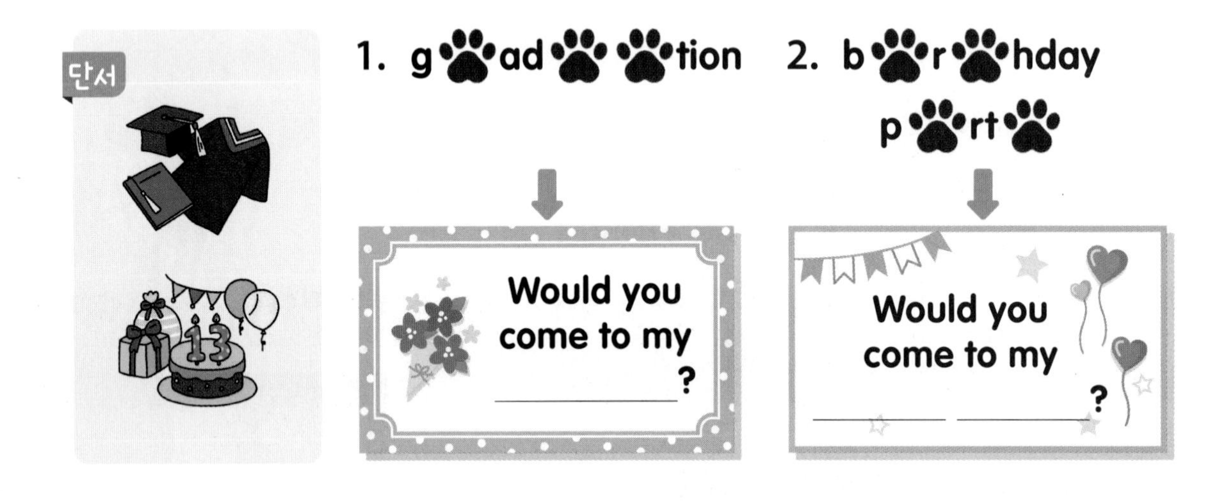

단서
1. g ad tion
Would you come to my ?
2. b r hday p rt
Would you come to my ?

B 합쳤을 때 사각형이 되는 도형끼리 연결한 후, 도형 속 알파벳을 사용하여 그림에 알맞은 단어를 쓰세요.

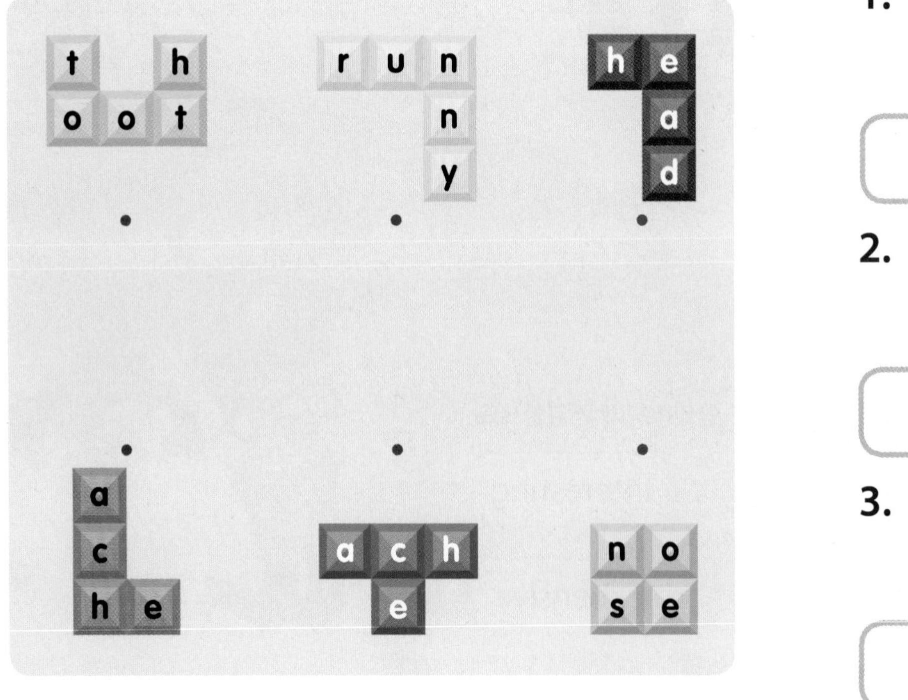

정답 6쪽

C 펭이가 세계 여행을 하려고 비행기 좌석을 예약했어요. 어느 나라를 여행할지 힌트 를 참고하여 단어를 쓰세요. (필요한 경우 소문자를 대문자로 바꿔 쓰세요.)

힌트

4B	3D	1B	4B	3A

India

1.

ECONOMY 탑승권 BOARDING PASS

2D	3A	3D	3A	1B	3A

2.

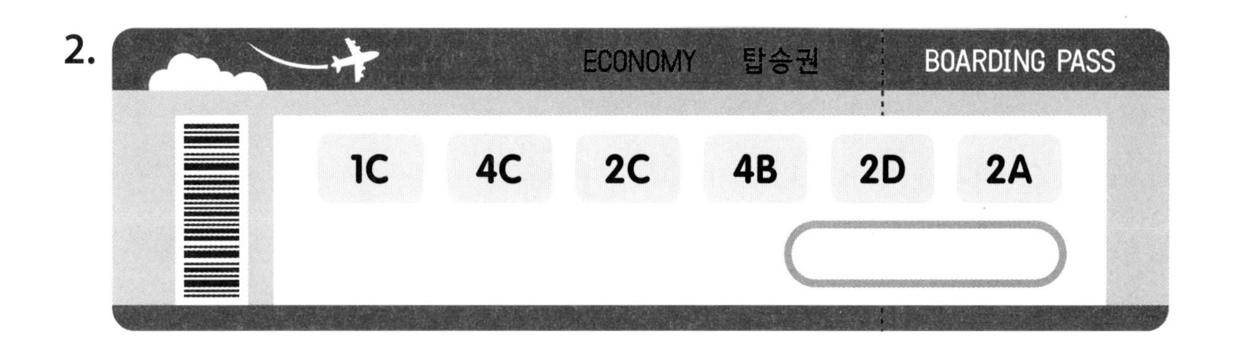

D 우주비행사가 우주에 흩어진 단어들을 연결해야 해요. 사다리를 타고 내려가 반의어끼리 연결할 수 있도록 사다리에 가로선을 그어 보세요.

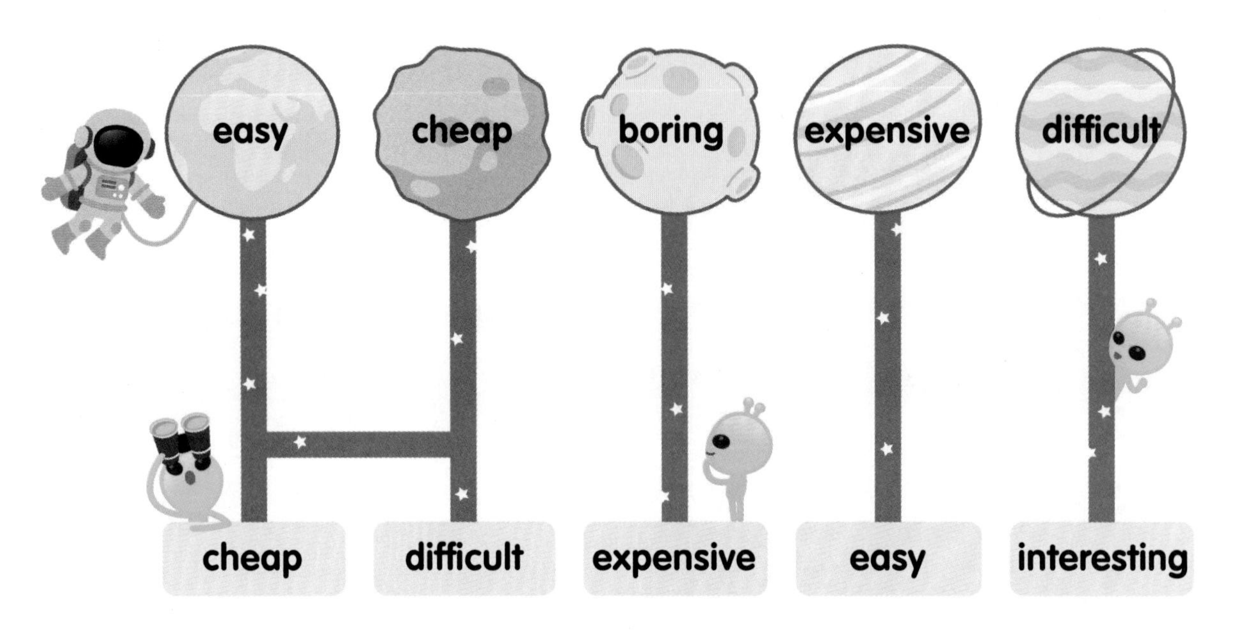

E 아픈 친구들이 병원에 도착할 수 있도록 글자판을 따라가며 그림에 알맞은 단어를 찾아 쓰세요.

출발 ➡

c	o	w	f	n	r	e	k	m
k	l	o	d	t	b	l	o	g
p	d	j	a	m	a	c	x	d
z	f	a	q	o	i	h	v	h
g	e	s	k	t	s	a	y	u
u	v	e	r	s	p	c	h	e

➡ 도착

1. 에취

2.

3.

F 펭이가 얼음이를 만나려면 빙하 조각을 건너가야 해요. 그림과 어구가 일치하면 YES, 일치하지 않으면 NO를 따라간 후, 마지막 조각의 어구로 문장을 완성하세요.

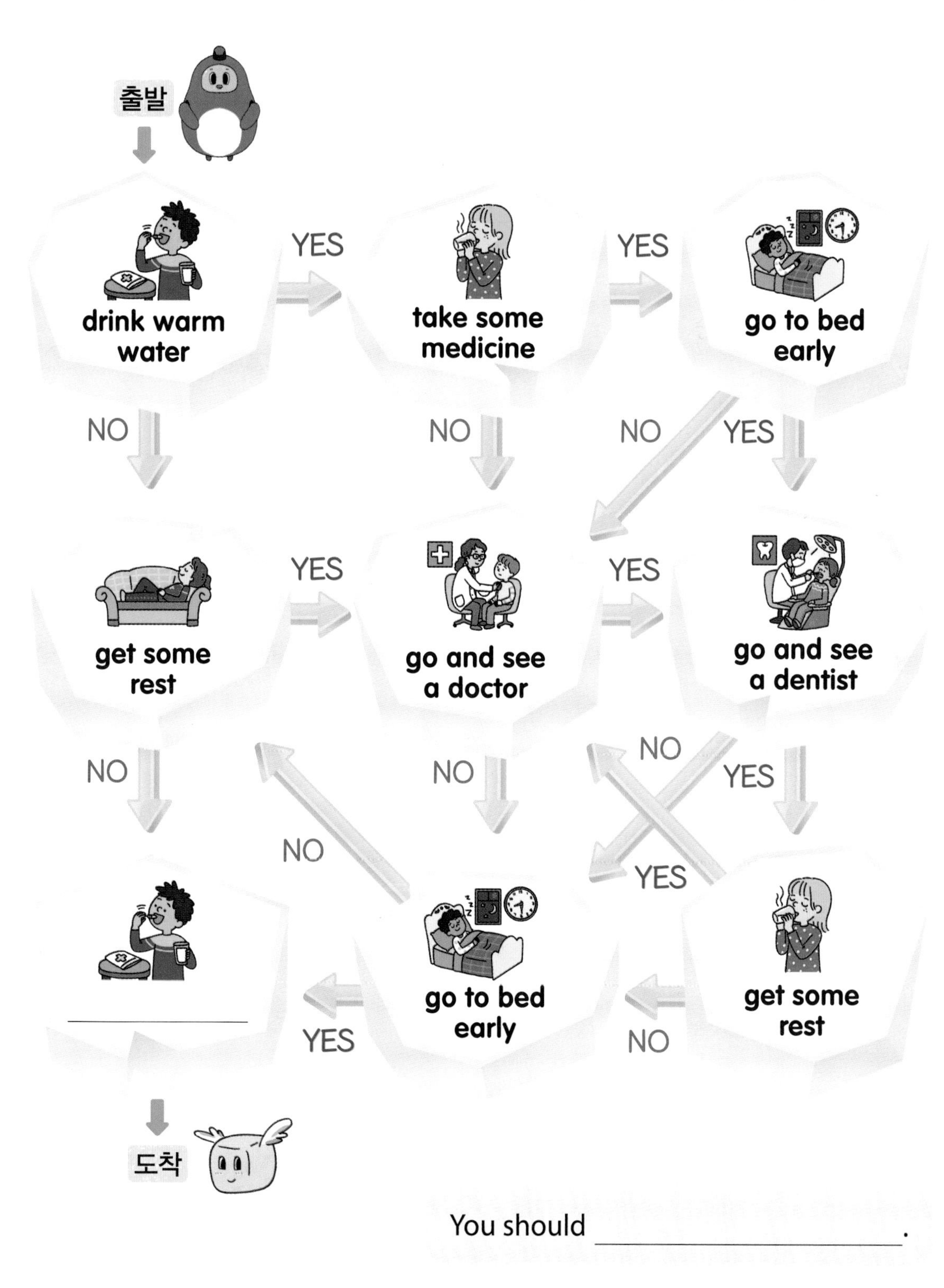

You should ______________________.

1주 누구나 100점 TEST

1 단어에 알맞은 그림을 고르세요.

the U.K.

① 

② 

③ 

④ 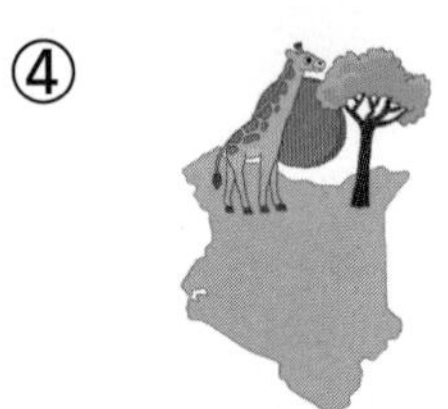

2 그림에 알맞은 단어를 고르세요.

① stomachache ② fever
③ toothache ④ runny nose

3 그림에 없는 단어를 고르세요.

① talent show
② piano concert
③ movie festival
④ birthday party

4 그림과 어구가 일치하지 않는 것을 고르세요.

①  
get some rest

② 
drink warm water

③  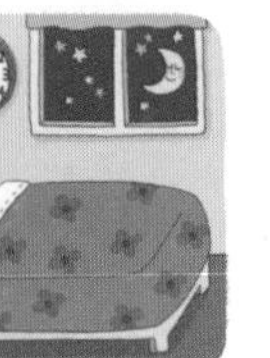
go to bed early

④
take some medicine

▶정답 7쪽

5 그림에 알맞은 단어를 보기 에서 골라 기호를 쓰세요.

보기 ⓐ cheap ⓑ boring
ⓒ expensive

(1)

(2)

6 그림을 보고 문장의 빈칸에 알맞은 단어를 고르세요.

I want to travel to ________.

① Mexico ② India
③ Vietnam ④ Kenya

7 그림에 알맞은 어구를 골라 쓰세요.

(go and see a doctor /
go and see a dentist)

8 그림에 알맞은 단어가 되도록 알파벳을 바르게 배열하여 쓰세요.

(1) ____________

(n e i t r s t n g i e)

(2) ____________

(f d u i c i t f l)

2주 2주에는 무엇을 공부할까? ①

재미있는 이야기로 이번 주에 공부할 내용을 알아보세요.

싸운다고? 우리는 절대 싸우지 않아. 그렇지, 펭이야?
0%
끄덕 끄덕
그럼, 그럼. 우리는 영원한 소울메이트.
뭐래.
야!!! 내 콜라!!
꺼~억
이번 주에는 비교, 습관, 횟수와 빈도에 관한 단어와 어구, 그리고 복합어에 관해 재미있게 공부해 보자.

2 주

2주차 공부할 내용

2주 2주에는 무엇을 공부할까? ❷

A

◉ 우리말에 알맞은 동물에게 > 또는 < 표시를 해 보세요.

1.

faster

더 빠른

2.

bigger

더 큰

3.

heavier

더 무거운

4.

stronger

힘이 더 센

5.

taller

키가 더 큰

6.

longer

더 긴

답 1. > 2. < 3. < 4. > 5. > 6. <

B

◉ 여러분은 그림 속 행동을 몇 번 하는지 숫자로 써 보세요.

exercise

일주일에 (　　　)번

drink soda

일주일에 (　　　)번

stay up late

일주일에 (　　　)번

eat fast food

일주일에 (　　　)번

brush your teeth

하루에 (　　　)번

wash your hands

하루에 (　　　)번

내가 너보다 키가 더 커

I'm Taller Than You

단어

재미있는 이야기로 오늘 배울 단어를 만나 보세요.

오늘 배울 단어를 듣고 따라 말한 후, 써 보세요.

위의 그림을 짚으며 찬트 해 보세요.

단어 쑥쑥

A 잘 듣고, 알맞은 단어에 동그라미 하세요.

1. 

bigger stronger

2. 

taller heavier

3. 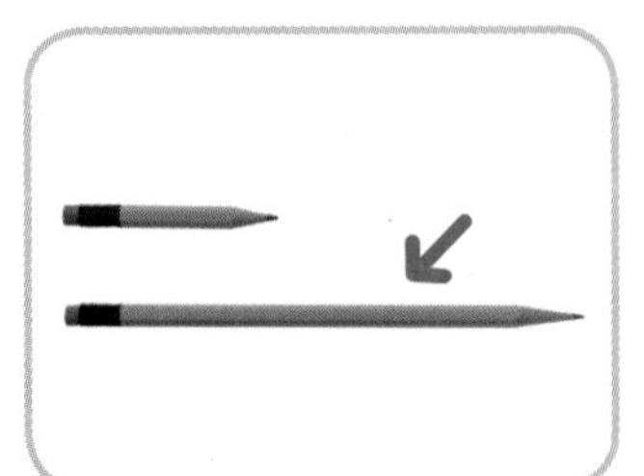

longer faster

B 그림에 알맞은 단어와 우리말 뜻을 연결하세요.

1.  • • faster • • 힘이 더 센

2.  • • taller • • 더 빠른

3.  • • stronger • • 키가 더 큰

그림에 알맞은 단어를 찾아 동그라미 한 후 빈칸에 쓰세요.

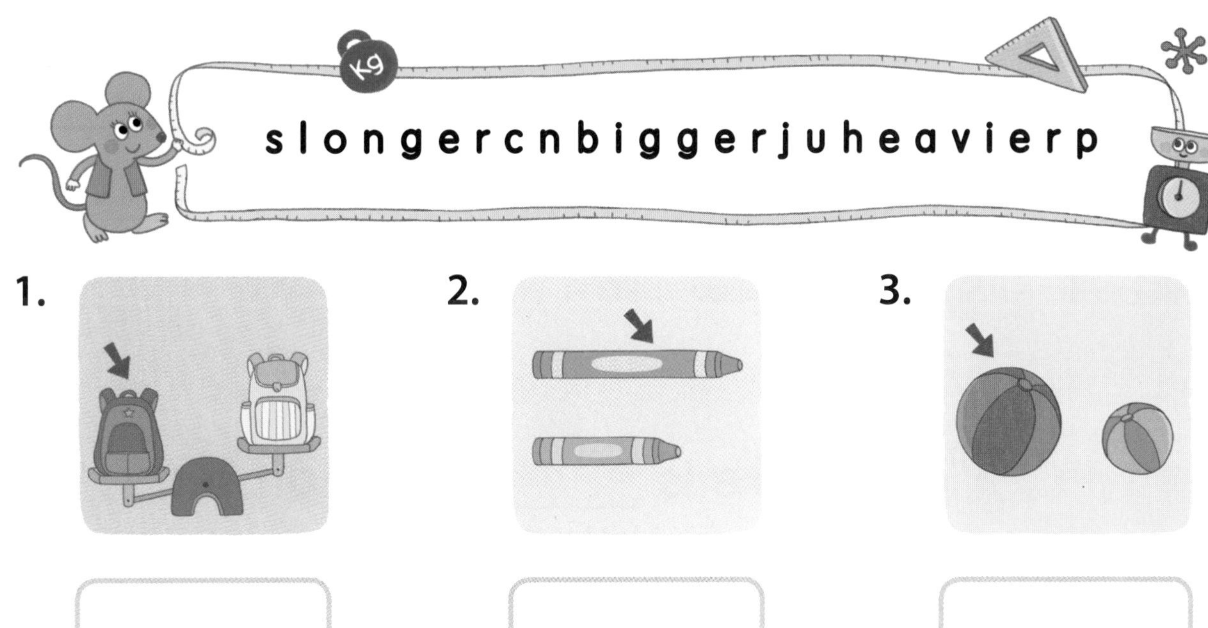

그림을 보고, 퍼즐을 완성하세요.

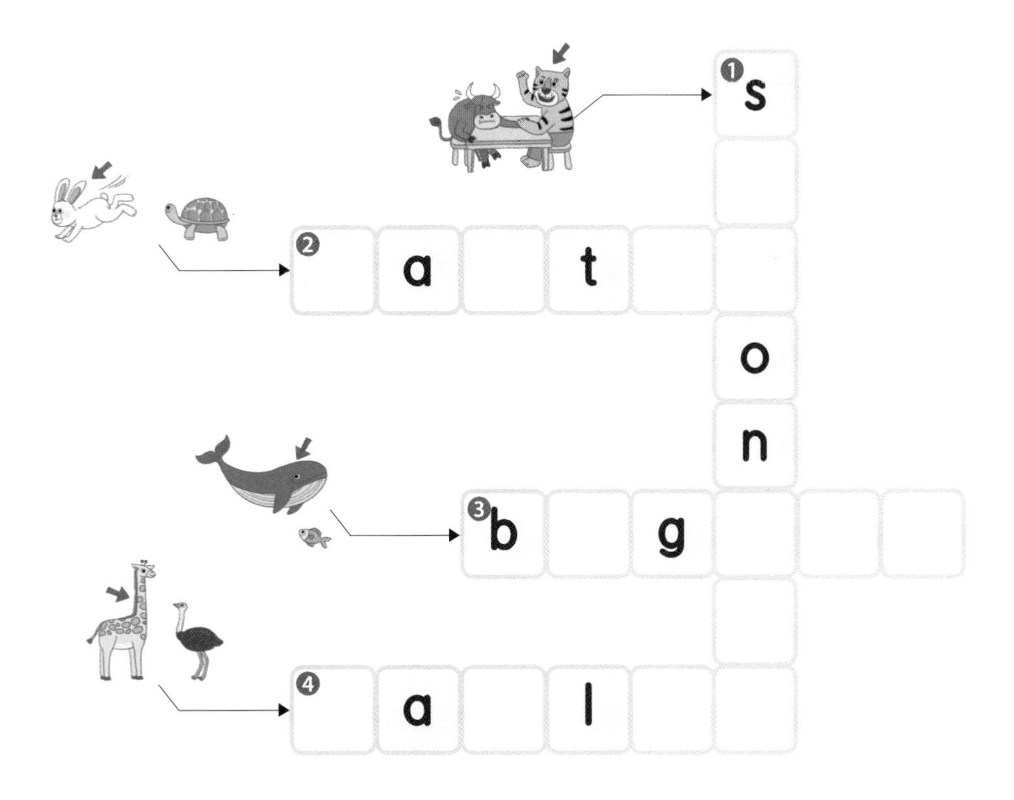

문장 쑥쑥

▶정답 8쪽

A 그림에 알맞은 단어를 골라 문장을 완성하세요.

문장 완성

1.

I'm ________ than you.
(taller / heavier)
내가 너보다 키가 더 커.

2.

Jake is ________ than Ted.
(faster / stronger)
제이크가 테드보다 힘이 더 세.

B 그림에 알맞은 단어를 보기에서 골라 문장을 완성하세요.

'A is+비교를 나타내는 말+than B.'는 'A는 B보다 더 ~해.'라는 뜻이에요.

문장 쓰기

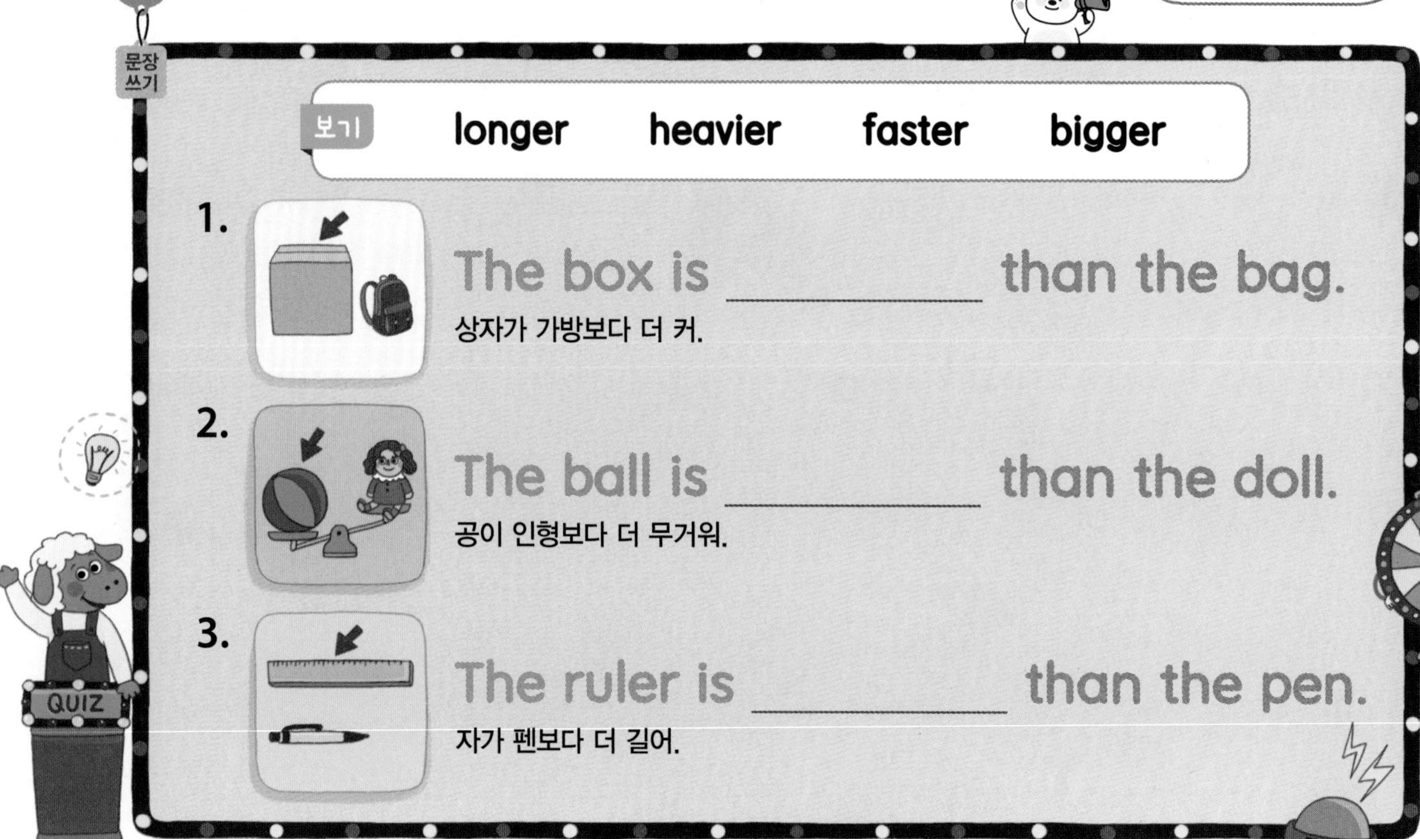

보기 longer heavier faster bigger

1. The box is ________ than the bag.
상자가 가방보다 더 커.

2. The ball is ________ than the doll.
공이 인형보다 더 무거워.

3. The ruler is ________ than the pen.
자가 펜보다 더 길어.

실력 쑥쑥

▶정답 8쪽

잘 듣고, 알맞은 단어에 동그라미 한 후 우리말 뜻을 쓰세요.

1. taller / heavier
뜻 ____________

2. bigger / faster
뜻 ____________

3. longer / stronger
뜻 ____________

그림에 알맞은 단어가 되도록 알파벳을 바르게 배열하여 쓰세요.

1. 
i a r e h v e

2. 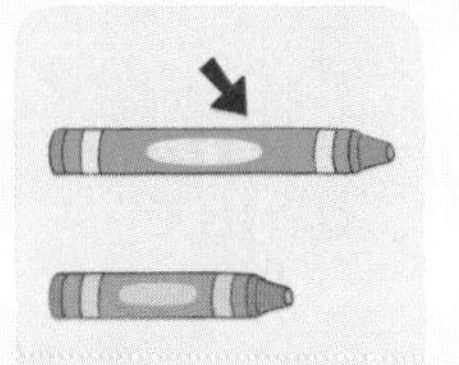
r e o g l n

3. 
e n r s o g t r

4. 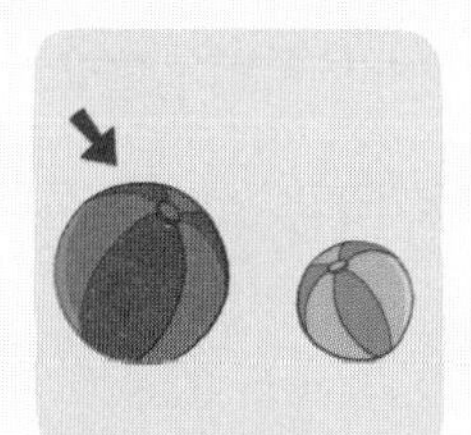
g b r g i e

◉ 단어나 어구를 듣고, 우리말 뜻을 말해 보세요.

너는 얼마나 자주 운동하니?

How Often Do You Exercise?

단어

재미있는 이야기로 오늘 배울 단어나 어구를 만나 보세요.

오늘 배울 단어나 어구를 듣고 따라 말한 후, 써 보세요.

exercise
운동하다

stay up late
늦게까지 깨어 있다

eat fast food
패스트푸드를 먹다

drink soda
탄산음료를 마시다

wash your hands
손을 씻다

brush your teeth
이를 닦다

위의 그림을 짚으며 찬트 해 보세요.

단어 쑥쑥

잘 듣고, 알맞은 어구를 골라 기호를 쓰세요.

ⓐ drink soda ⓑ stay up late ⓒ brush your teeth

1. 

2. 

3. 

그림에 알맞은 단어나 어구를 연결하세요.

1. 

운동하다

2. 

손을 씻다

• exercise •

• eat fast food •

• stay up late •

• wash your hands •

3. 

패스트푸드를 먹다

4. 

늦게까지 깨어 있다

▶정답 9쪽

C 그림에 알맞은 단어나 어구를 보기 에서 골라 쓰세요.

보기 **exercise** **stay up late** **eat fast food**

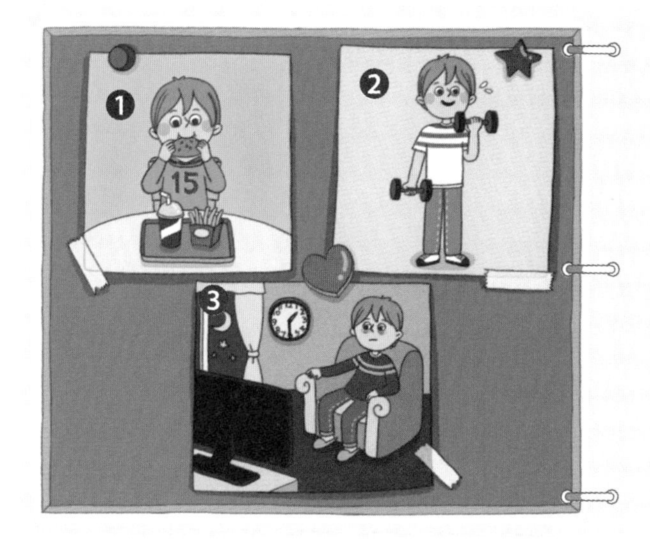

1.

2.

3.

D 잘 듣고, 그림에 알맞은 어구를 완성하세요.

어구 완성

1.

ri k s da

2.

was you h nds

3.

bru h you tee h

문장 쑥쑥

▶정답 9쪽

A 그림에 알맞은 어구를 골라 문장을 완성하세요.

1. 

How often do you ______________?
(drink soda / eat fast food)
너는 얼마나 자주 패스트푸드를 먹니?

2. 

How often do you ______________?
(wash your hands / brush your teeth)
너는 얼마나 자주 손을 씻니?

'How often do you+ 행동을 나타내는 말?'은 어떤 행동을 얼마나 자주 하는지 묻는 표현이에요.

B 그림에 알맞은 단어나 어구를 보기에서 골라 문장을 완성하세요.

문장
쓰기

보기 stay up late / brush your teeth / exercise

1. How often do you ______________?
너는 얼마나 자주 운동하니?

2. How often do you ______________?
너는 얼마나 자주 이를 닦니?

3. How often do you ______________?
너는 얼마나 자주 늦게까지 깨어 있니?

실력 쑥쑥

▶정답 9쪽

잘 듣고, 알맞은 단어나 어구에 동그라미 한 후 우리말 뜻을 쓰세요.

1. exercise / stay up late → 뜻
2. wash your hands / eat fast food → 뜻
3. drink soda / brush your teeth → 뜻

B 그림에 알맞은 어구가 되도록 단어를 바르게 배열하여 쓰세요.

1. 

____
(your / wash / hands)

2. 

____
(teeth / your / brush)

3. 

____
(up / stay / late)

◉ 단어나 어구를 듣고, 우리말 뜻을 말해 보세요.

나는 일주일에 두 번 운동해

I Exercise Twice a Week

단어

재미있는 이야기로 오늘 배울 단어나 어구를 만나 보세요.

오늘 배울 단어나 어구를 듣고 따라 말한 후, 써 보세요.

once
한 번

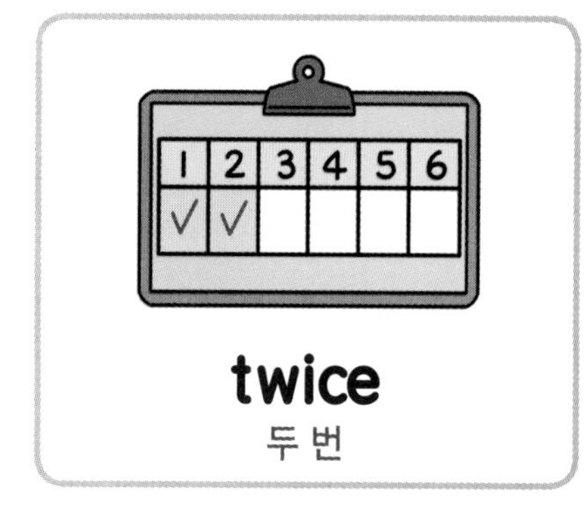

twice
두 번

three times
세 번

four times
네 번

five times
다섯 번

six times
여섯 번

위의 그림을 짚으며 챈트 해 보세요.

단어 쑥쑥

잘 듣고, 알맞은 단어나 어구를 골라 기호를 쓰세요.

ⓐ twice ⓑ once ⓒ four times

1. 

2. 

3. 

B 그림에 알맞은 어구를 연결하세요.

의미 연결

1. 

다섯 번

2. 

네 번

- three times
- four times
- five times
- six times

3. 

세 번

4. 

여섯 번

▶정답 10쪽

C 그림에 알맞은 어구를 보기 에서 골라 쓰세요.

어구 쓰기

보기 three times four times five times

횟수
6
5
4
3
2
1
0
❶ ❷ ❸

1.

2.

3.

D 잘 듣고, 그림에 알맞은 단어나 어구를 완성하세요.

단어 완성

1.

t i e

2.

n e

3.

s x time

문장 쑥쑥

▶정답 10쪽

A 그림에 알맞은 단어나 어구를 골라 문장을 완성하세요.

1. 

I exercise ____________ a week.
(once / three times)
나는 일주일에 세 번 운동해.

2. 

I exercise ____________ a week.
(twice / five times)
나는 일주일에 다섯 번 운동해.

'I exercise+횟수를 나타내는 말+a week.'는 일주일에 운동을 몇 번 하는지 말하는 표현이에요.

B 그림에 알맞은 단어나 어구를 보기에서 골라 문장을 완성하세요.

문장 쓰기

보기: twice / once / six times / four times

1. I exercise ____________ a week.
나는 일주일에 한 번 운동해.

2. I exercise ____________ a week.
나는 일주일에 두 번 운동해.

3. 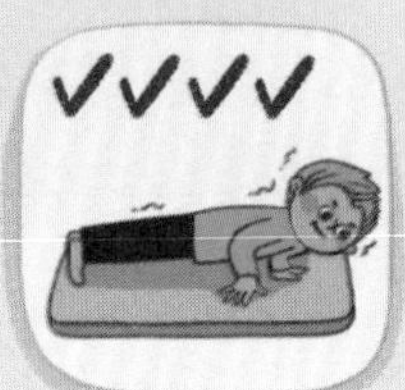

I exercise ____________ a week.
나는 일주일에 네 번 운동해.

▶정답 10쪽

 잘 듣고, 알맞은 단어나 어구에 동그라미 한 후 우리말 뜻을 쓰세요.

1. once / four times

뜻 ________

2. five times / six times

뜻 ________

3. twice / three times

뜻 ________

 그림에 알맞은 단어나 어구가 되도록 알파벳을 바르게 배열하여 쓰세요.

1. 
n o e c

2. 
c t i e w

3. 
i e f v s m t e i

4. 
x i s i e m s t

◉ 단어나 어구를 듣고, 우리말 뜻을 말해 보세요.

나는 항상 아침을 먹어

단어

I Always Have Breakfast

재미있는 이야기로 오늘 배울 단어를 만나 보세요.

오늘 배울 단어를 듣고 따라 말한 후, 써 보세요.

90%
usually
대개

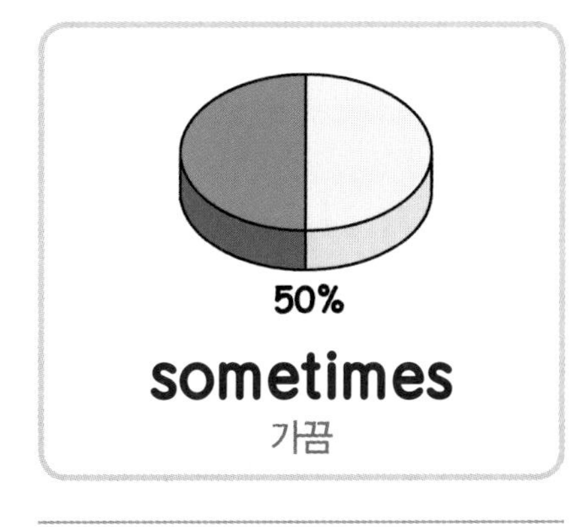

위의 그림을 짚으며 찬트 해 보세요.

단어 쑥쑥

잘 듣고, 알맞은 단어에 동그라미 하세요.

3

1. 0%

often / never

2. 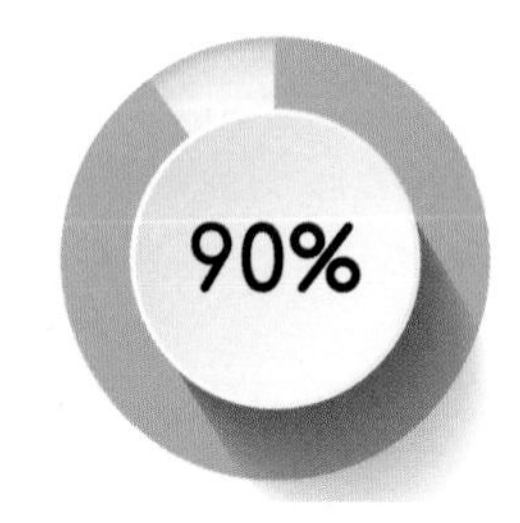

usually / always

3. 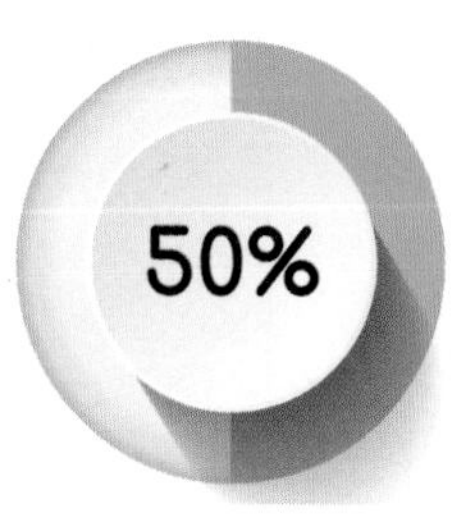

hardly / sometimes

그림에 알맞은 단어와 우리말 뜻을 연결하세요.

1. 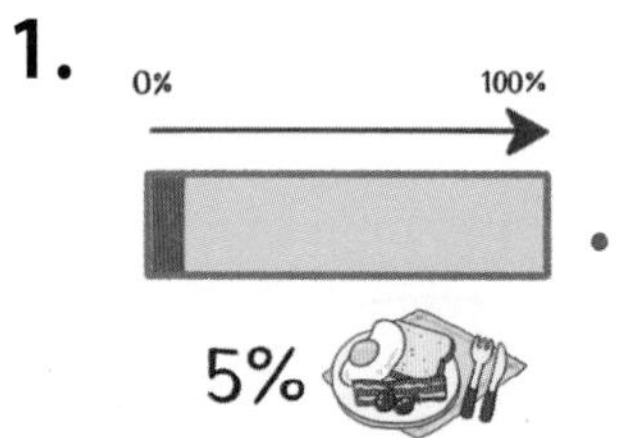

2. 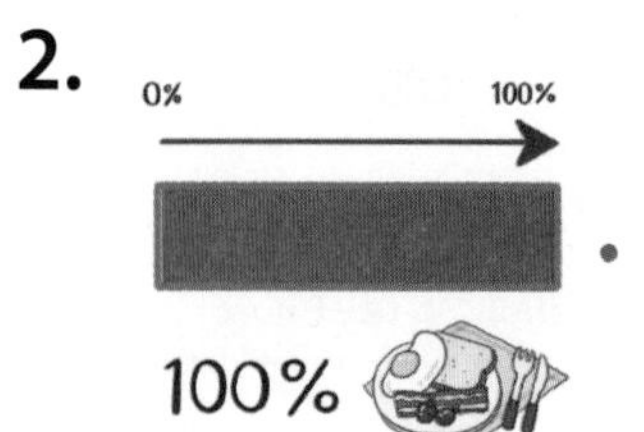

3. 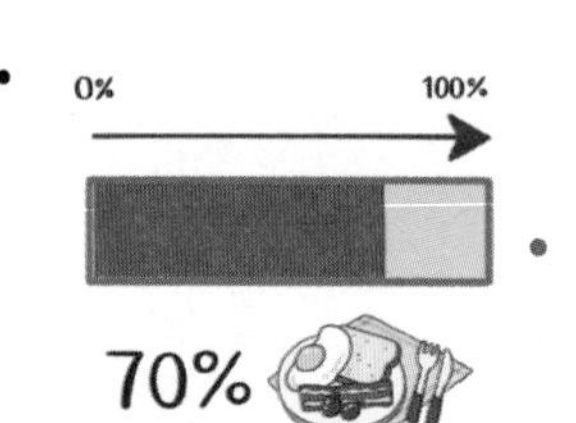

always	거의 … 않다
often	자주
hardly	항상

▶정답 11쪽

C 그림에 알맞은 단어를 찾아 동그라미 한 후 빈칸에 쓰세요.

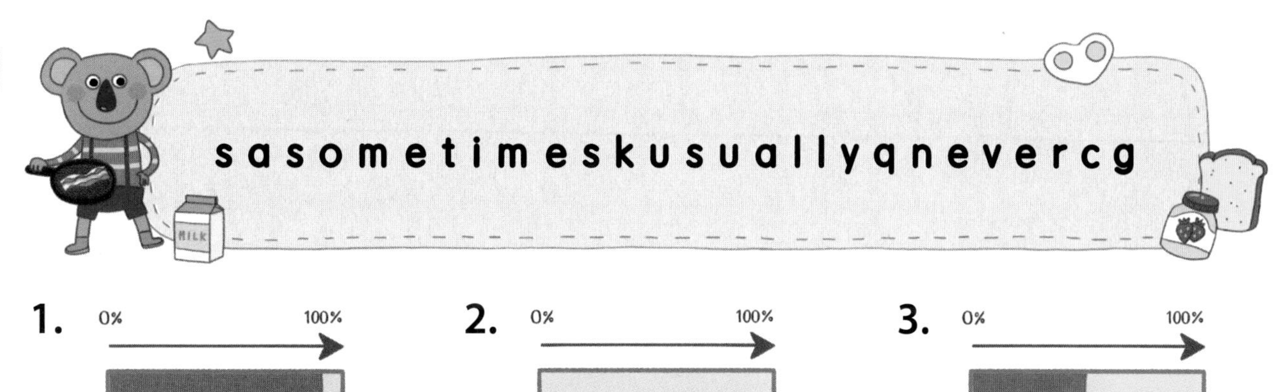

1. 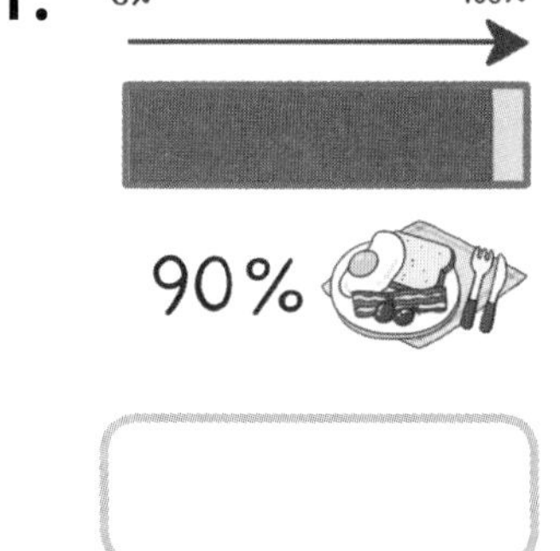

2. 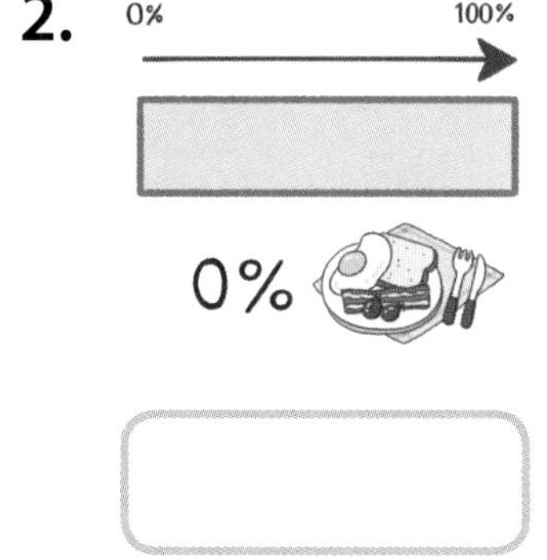

3. 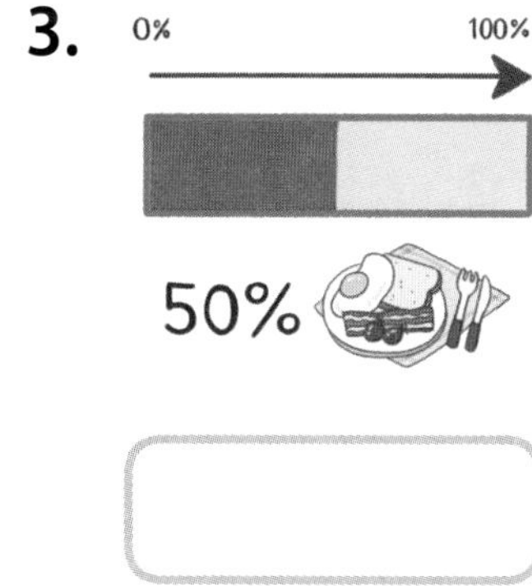

D 그림을 보고, 퍼즐을 완성하세요.

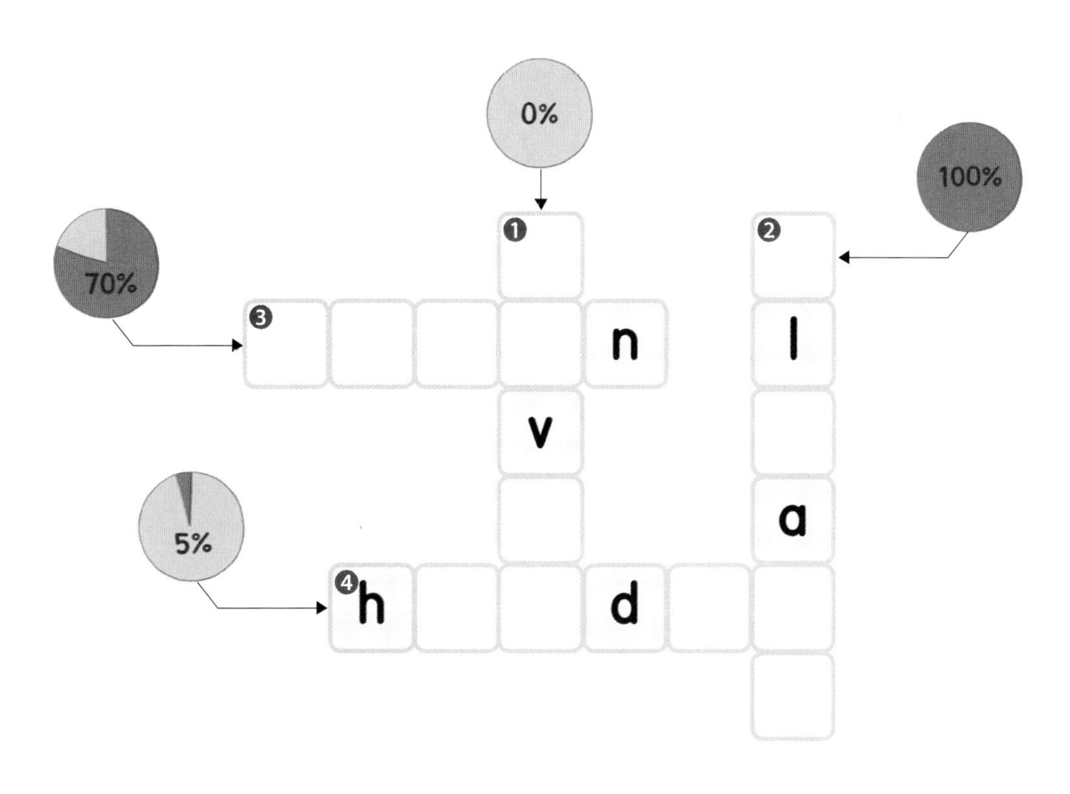

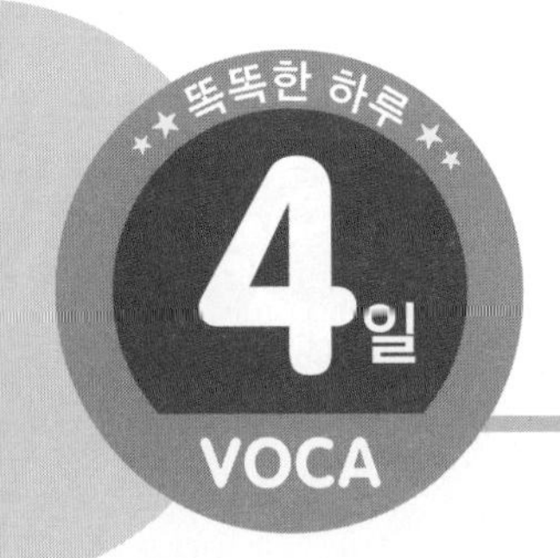

문장 쑥쑥

▶정답 11쪽

A 그림에 알맞은 단어를 골라 문장을 완성하세요.

문장 완성

1. 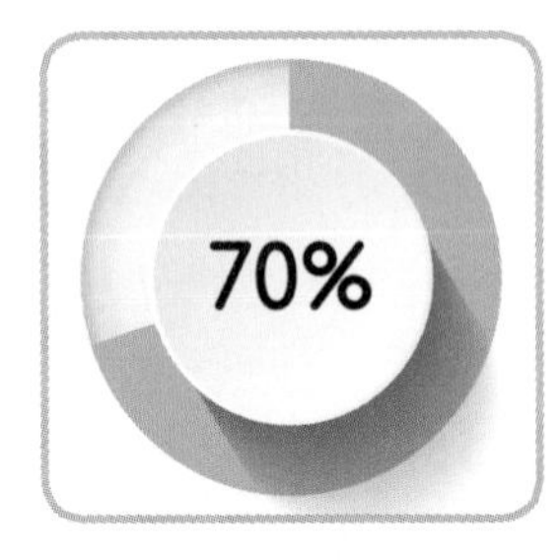

I ______________ have breakfast.
(always / often)
나는 자주 아침을 먹어.

2. 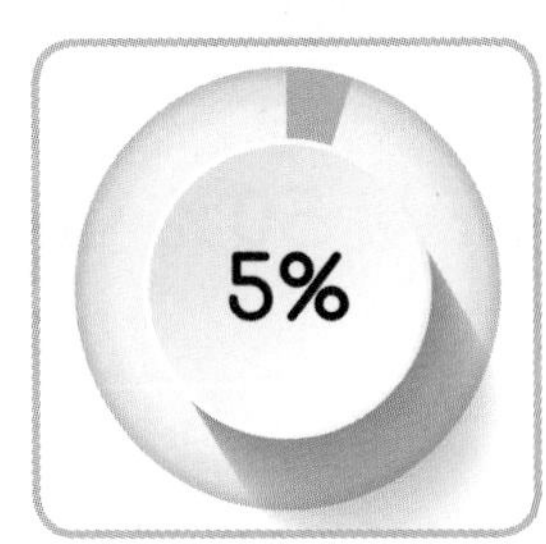

I ______________ have breakfast.
(hardly / never)
나는 거의 아침을 먹지 않아.

B 그림에 알맞은 단어를 보기에서 골라 문장을 완성하세요.

'I+빈도를 나타내는 말+have breakfast.'는 아침을 얼마나 자주 먹는지 말하는 표현이에요.

문장 쓰기

보기 usually always never sometimes

1. I ______________ have breakfast.
나는 항상 아침을 먹어.

2. I ______________ have breakfast.
나는 가끔 아침을 먹어.

3. I ______________ have breakfast.
나는 절대 아침을 먹지 않아.

복습 실력 쑥쑥

▶정답 11쪽

A 잘 듣고, 알맞은 단어에 동그라미 한 후 우리말 뜻을 쓰세요.

4

1. usually / often

뜻 ________

2. always / sometimes

뜻 ________

3. never / hardly

뜻 ________

B 그림에 알맞은 단어가 되도록 알파벳을 바르게 배열하여 쓰세요.

1. 0% → 100% 90%

l a u l y s u

2. 0% → 100% 70%

t o n e f

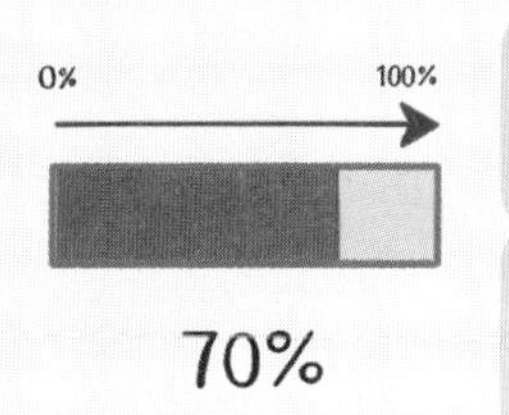

3. 0% → 100% 50%

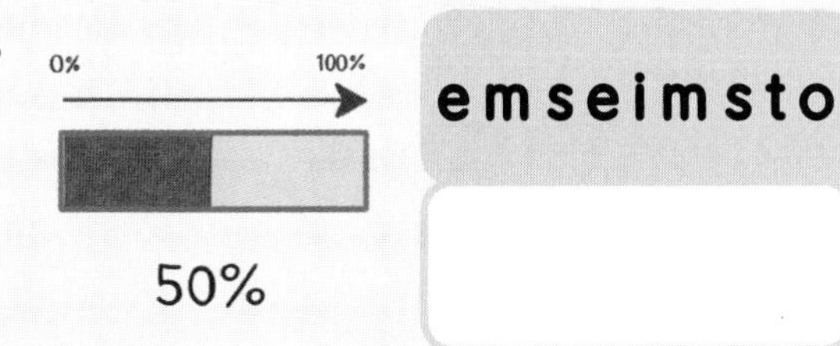

e m s e i m s t o

4. 0% → 100% 0%

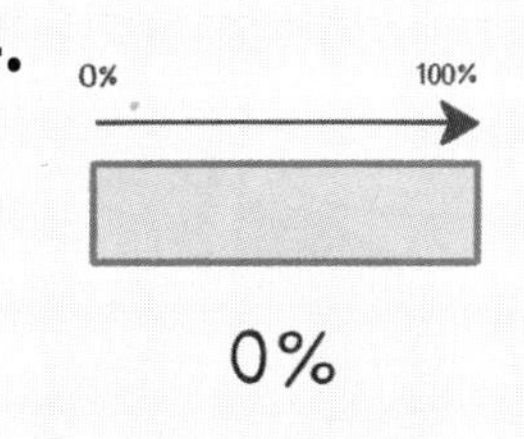

e n r v e

◉ 단어나 어구를 듣고, 우리말 뜻을 말해 보세요.

5

스페셜 SPECIAL VOCA

둘이 만나 새 단어로

복합어

재미있는 이야기로 오늘 배울 단어를 만나 보세요.

오늘 배울 단어를 들으며 따라 말해 보세요.

2 주

위의 그림을 짚으며 찬트 해 보세요.

단어 쑥쑥

잘 듣고, 알맞은 단어를 골라 기호를 쓰세요.

ⓐ popcorn ⓑ jellyfish ⓒ lighthouse

1. 

2. 

3. 

그림에 알맞은 단어를 연결하세요.

1. 
해파리

2. 
등대

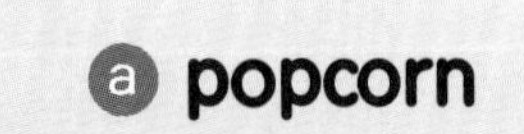

- fingernail
- lighthouse
- popcorn
- jellyfish

3. 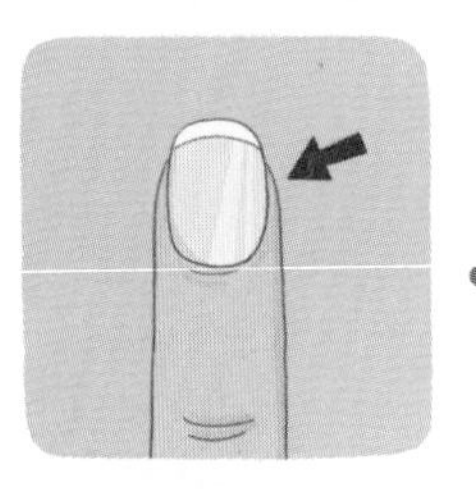
손톱

4. 
팝콘

▶정답 12쪽

그림에 알맞은 단어를 보기 에서 골라 쓰세요.

보기 popcorn jellyfish lighthouse fingernail

1.

2.

3.

4.

잘 듣고, 그림에 알맞은 단어를 완성하세요.

1. 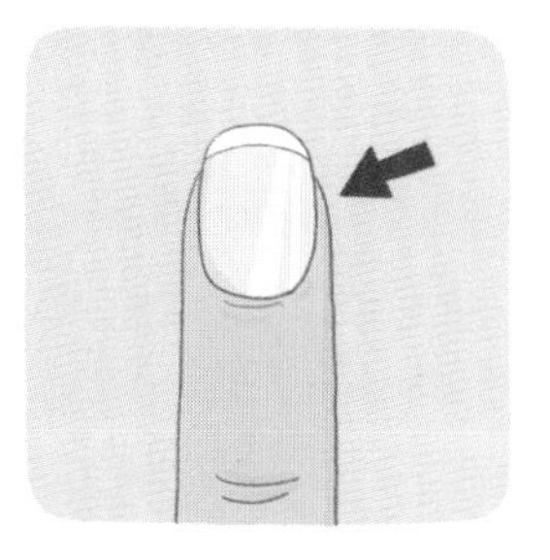

fi gern il

2. 

ell fish

3. 

lig tho se

단어 쑥쑥 플러스

▶정답 12쪽

◉ 두 단어를 연결하여 새 단어를 만든 후, 알맞은 그림과 연결하고 단어를 쓰세요.

1.

light

nail

2.

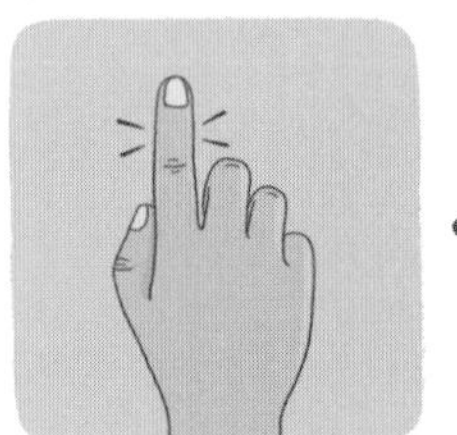

finger

house

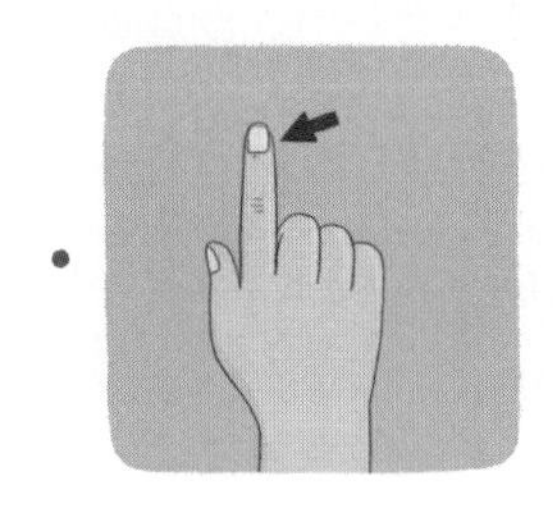

3.

jelly

corn

4.

pop

fish

복습 실력 쑥쑥

2 주

잘 듣고, 알맞은 단어에 동그라미 한 후 우리말 뜻을 쓰세요.

5

1. popcorn / jellyfish
뜻 ____________

2. fingernail / lighthouse
뜻 ____________

3. jellyfish / fingernail
뜻 ____________

그림에 알맞은 단어가 되도록 알파벳을 바르게 배열하여 쓰세요.

1. 
s l j y f e h i l
____

2. 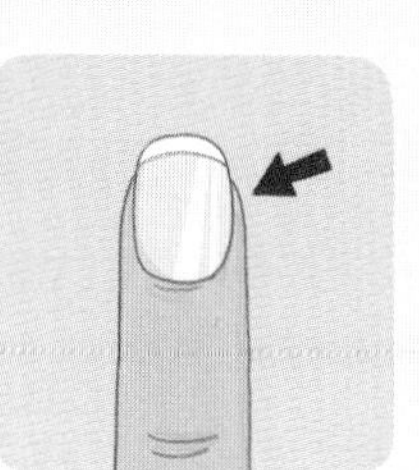
e i n l r a g n i f
____

3. 
h e t l u i o h g s
____

4. 
c p n o p r o
____

◉ 단어나 어구를 듣고, 우리말 뜻을 말해 보세요.

배운 내용을 떠올리며 말판 놀이를 해 보세요.

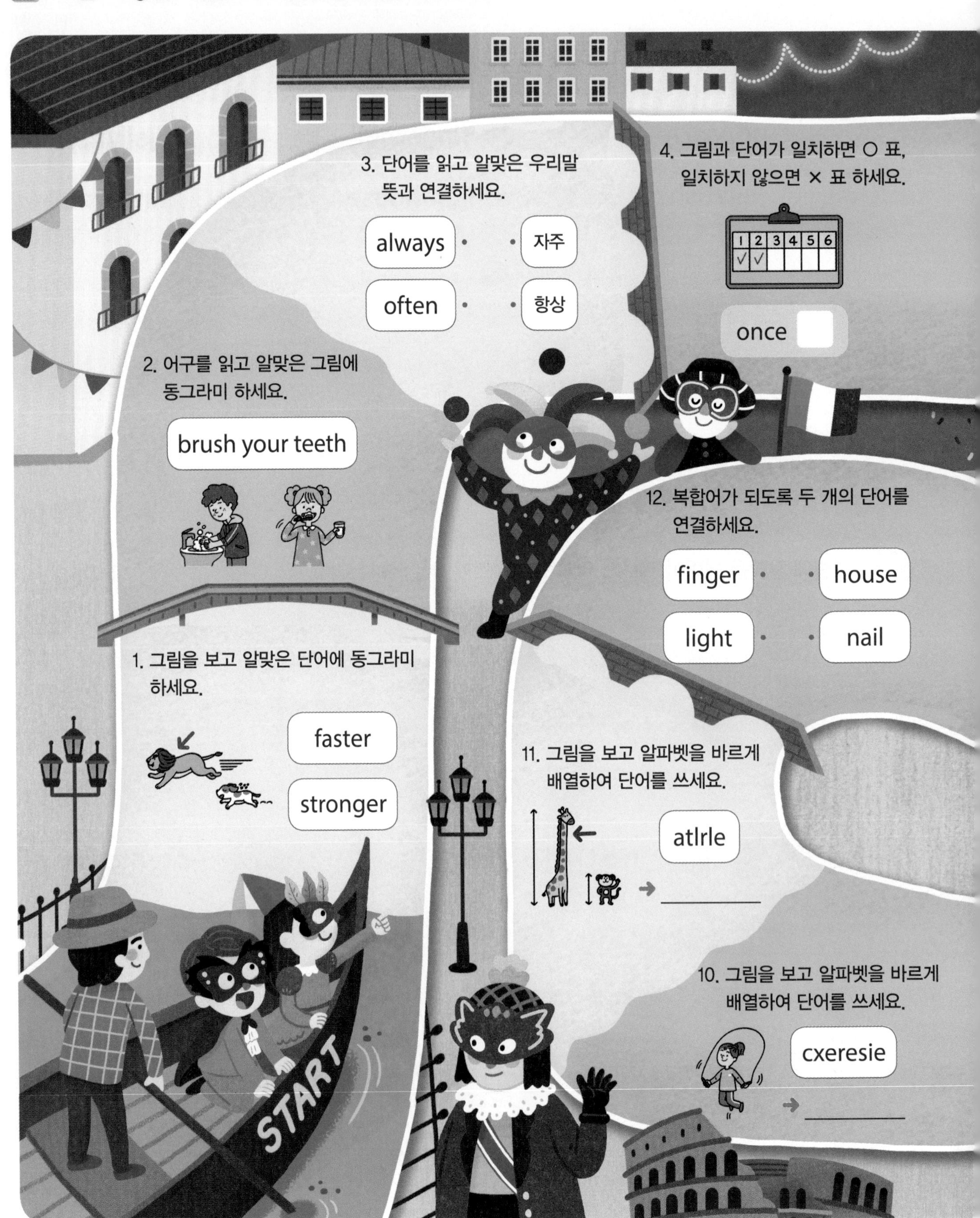

1. 그림을 보고 알맞은 단어에 동그라미 하세요.
faster
stronger
2. 어구를 읽고 알맞은 그림에 동그라미 하세요.
brush your teeth
3. 단어를 읽고 알맞은 우리말 뜻과 연결하세요.
always
often
자주
항상
4. 그림과 단어가 일치하면 ○ 표, 일치하지 않으면 × 표 하세요.
1 2 3 4 5 6
once
12. 복합어가 되도록 두 개의 단어를 연결하세요.
finger
light
house
nail
11. 그림을 보고 알파벳을 바르게 배열하여 단어를 쓰세요.
atlrle
10. 그림을 보고 알파벳을 바르게 배열하여 단어를 쓰세요.
cxeresie
START

5. 그림에 알맞은 단어를 완성하세요.
90%
u__ __al__y
6. 그림을 보고 알맞은 어구에 동그라미 하세요.
1 2 3 4 5 6
three times
six times
FINISH
7. 그림과 어구가 일치하면 ○ 표, 일치하지 않으면 × 표 하세요.
eat fast food
8. 단어를 읽고 알맞은 그림에 동그라미 하세요.
jellyfish
9. 그림에 알맞은 단어를 완성하세요.
he__vi__ __

A 각 칸의 숫자가 어떤 규칙에 의해 움직였어요. 단서를 읽고 ? 칸에 들어갈 숫자를 알아내 얼음이가 몇 번 운동하는지 영어로 쓰세요.

단서 시계 방향으로 숫자만큼 칸을 이동해요.

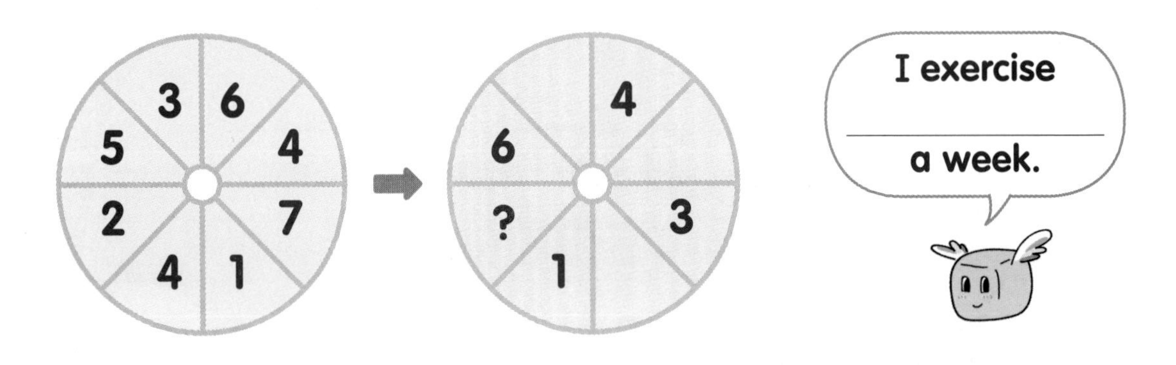

B 친구들이 누구인지 알아맞히기 게임을 하고 있어요. 힌트를 읽고 "I"가 누구인지 찾아 이름을 쓰세요.

이름	키	몸무게	100m 달리기
Jake	148 cm	40 kg	17초
Ann	157 cm	48 kg	19초
Tony	155 cm	45 kg	18초
Emily	153 cm	42 kg	22초
Peter	145 cm	50 kg	20초

힌트
- I'm taller than Jake.
- I'm heavier than Emily.
- I'm faster than Ann.

I = ______________

C 그림에 알맞은 단어를 쓴 후, 퍼즐에서 찾아 동그라미 하세요.

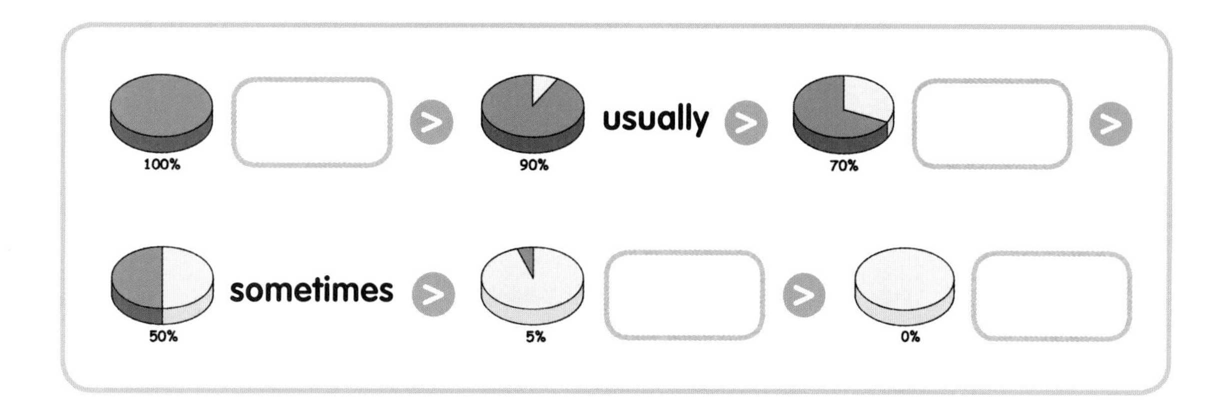

D 펭이가 단어 수수께끼를 내고 있어요. 단서를 읽고 단어를 완성하세요.

단서

1. 첫 번째와 세 번째, 마지막은 를 나타내는 단어의 마지막 알파벳과 같아요.
2. 두 번째는 영어 알파벳 중 끝에서 세 번째 알파벳이에요.
3. 다섯 번째는 /크/와 /스/ 두 가지로 발음되는 알파벳이에요.
4. 여섯 번째는 영어로 '나'를 나타내는 단어와 발음이 같아요.

1	2	3	4	5	6	7	8
			r			s	

E 화살표 방향대로 단어 칸을 따라가 어구를 만들어 쓴 후, 관련 있는 그림에 동그라미 하세요.

1.

up	teeth	soda
stay	drink	your
출발	brush	late

➡ ↗ ↖

어구:

2.

hands	eat	stay
your	출발	fast food
late	wash	up

⬇ ↖ ⬆

어구:

F 펭이가 오아시스로 가야 하는데 길을 잃었어요. 사막을 빠져나가며 만나는 그림들로 복합어를 만든 후, 알맞은 그림에 단어를 쓰세요.

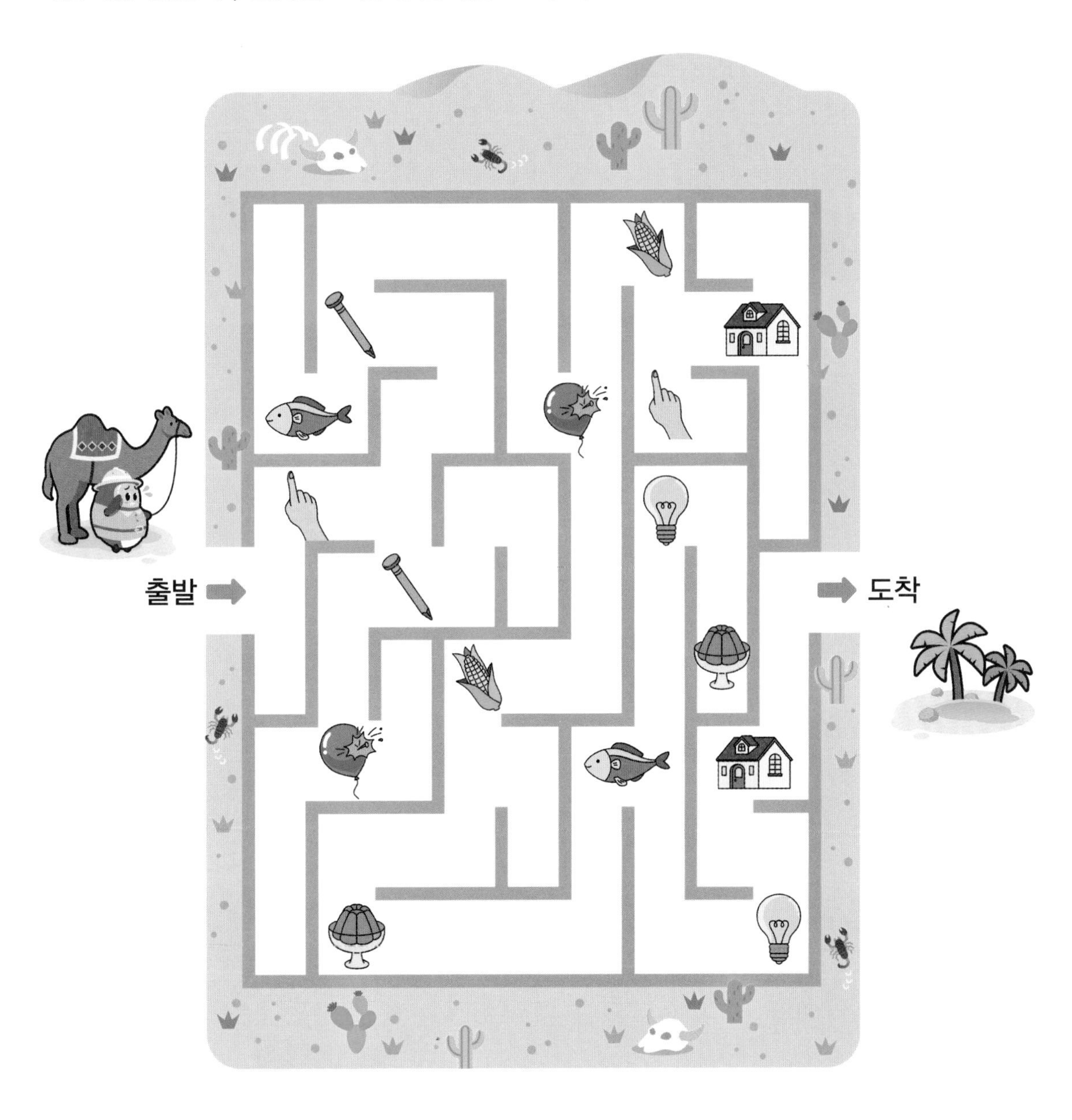

1. 

2. 

3. 

4.

2주 누구나 100점 TEST

1 단어에 알맞은 그림을 고르세요.

bigger

②
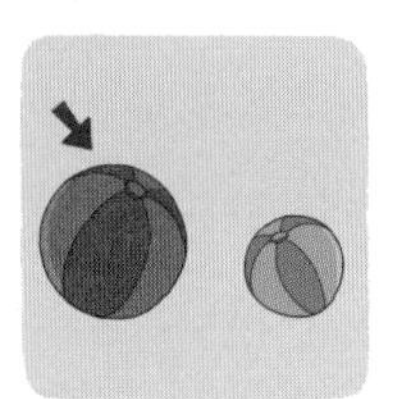
③

④
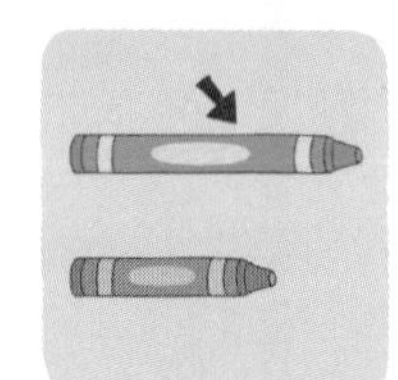

2 그림에 알맞은 단어를 고르세요.

① once ② twice
③ three times ④ five times

3 그림에 없는 단어나 어구를 고르세요.

① exercise
② stay up late
③ eat fast food
④ wash your hands

4 그림과 단어가 일치하지 않는 것을 고르세요.

①
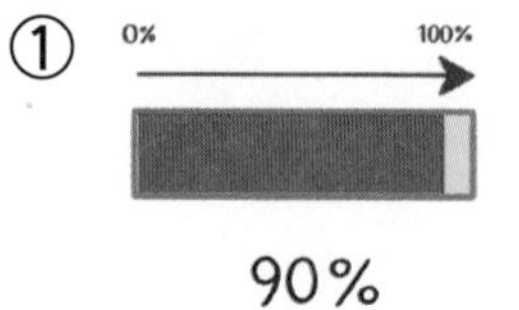
90%
always

②
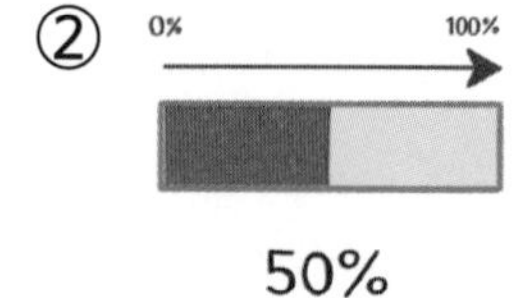
50%
sometimes

③
5%
hardly

④
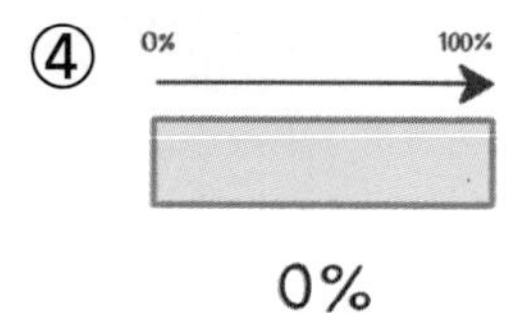
0%
never

▶정답 14쪽

5 그림에 알맞은 단어를 보기 에서 골라 기호를 쓰세요.

보기 ⓐ jellyfish ⓑ fingernail ⓒ popcorn

(1) 

(2) 

6 그림을 보고 문장의 빈칸에 알맞은 단어를 고르세요.

The purple bag is ________ than the yellow bag.

① longer ② heavier
③ stronger ④ faster

7 그림에 알맞은 어구를 골라 쓰세요.

(drink soda / brush your teeth)

8 그림에 알맞은 단어가 되도록 알파벳을 바르게 배열하여 쓰세요.

(1)

(h e g l t o h s u i)

(2)

(i g i e r f n l a n)

3주에는 무엇을 공부할까? ①

재미있는 이야기로 이번 주에 공부할 내용을 알아보세요.

3주

1일 **We Won the Soccer Game** 과거의 일

2일 **Don't Forget to Wear Your Helmet** 안전

3일 **We Should Save Energy** 환경

4일 **How About Using the Stairs?** 환경

5일 **SPECIAL VOCA** 구동사

3주에는 무엇을 공부할까? ②

A

◉ 여러분이 안전을 위해 실천하고 있는 일에 ✓ 표 해 보세요.

wear your helmet

wear your seatbelt

stay behind the line

stop at the red light

look left and right

use the crosswalk

B

얼음이가 지구를 위하는 방법
에어컨을 켜자.
안 돼.
1. 에너지 절약하기

이걸로 마무리해.
2. 물 아껴 쓰기

페트병으로 만든 우비야.
움직일 수가 없어
3. 재활용 실천하기

◉ 여러분이 환경 보호를 위해 해 본 적이 있는 일에 동그라미 해 보세요.

use a cup

use the stairs

ride a bicycle

clean the park

pick up the trash

10분

take a short shower

우리가 축구 경기에서 이겼어

단어

We Won the Soccer Game

재미있는 이야기로 오늘 배울 어구를 만나 보세요.

펭이의 일기

2022년 5월 16일 월요일, 맑음

오늘 학교에 갔다가 충격적인 소식을 들었다.

내 친구 미나가 지난 주말에 **moved to another city** 했다는 것이다.

나는 너무 슬퍼서 점심을 다 먹지도 못했다.

오후가 되자 마음이 좀 진정되었다.

체육 시간에 축구 경기를 했는데 내가 두 골이나 넣었다.

우리 팀이 **won the soccer game** 해서 기분이 무지 좋았다.

하지만 저녁에는 너무 화가 났다.

왜냐하면 얼음이가 **ate my cookies** 했기 때문이다.

내가 좋아하는 포춘 쿠키였는데 그 녀석이 내 행운을 모두 가져가 버렸다.

그런데 나중에 확인해 보니 유통 기한이 1년이나 지난 거였다.

고맙다, 친구야!

내가 운이 좋은 거였어.

오늘 배울 어구를 듣고 따라 말한 후, 써 보세요.

got a new watch
새 시계가 생겼다

won the soccer game
축구 경기에서 이겼다

lost my dog
내 개를 잃어버렸다

moved to another city
다른 도시로 이사 갔다

ate my cookies
내 쿠키를 먹었다

broke my robot
내 로봇을 망가뜨렸다

위의 그림을 짚으며 찬트 해 보세요.

단어 쑥쑥

A 잘 듣고, 알맞은 어구에 동그라미 하세요.

어구 듣기

1. 

ate my cookies / won the soccer game

2. 

broke my robot / moved to another city

3. 

got a new watch / lost my dog

B 그림에 알맞은 어구와 우리말 뜻을 연결하세요.

의미 연결

1. 	lost my dog	내 쿠키를 먹었다
2. 	ate my cookies	내 로봇을 망가뜨렸다
3. 	broke my robot	내 개를 잃어버렸다

▶정답 15쪽

C 그림에 알맞은 어구를 보기 에서 골라 쓰세요.

어구 쓰기

보기 **broke my robot** **lost my dog** **ate my cookies**

1.

2.

3.

D 잘 듣고, 그림에 알맞은 어구를 완성하세요.

어구 완성

1.

g t a ne wat h

2.

w n the soc er g me

3.

move to anot er cit

문장 쑥쑥

▶정답 15쪽

A 그림에 알맞은 어구를 골라 문장을 완성하세요.

문장 완성

1. 

I ____________________.
(lost my dog / got a new watch)
나는 내 개를 잃어버렸어.

2. 

My sister ____________________.
(broke my robot / ate my cookies)
여동생이 내 쿠키를 먹었어.

B 그림에 알맞은 어구를 보기에서 골라 문장을 완성하세요.

과거의 일을 말할 때는 break→broke, win→won, move→moved와 같이 동작을 나타내는 단어의 형태를 바꿔서 표현해요.

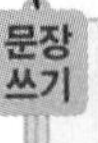

문장 쓰기

보기 broke my robot   won the soccer game   moved to another city

1. 

We ____________________.
우리가 축구 경기에서 이겼어.

2. 

My brother ____________________.
남동생이 내 로봇을 망가뜨렸어.

3. 

My friend ____________________.
친구가 다른 도시로 이사 갔어.

실력 쑥쑥

▶정답 15쪽

잘 듣고, 알맞은 어구에 동그라미 한 후 우리말 뜻을 쓰세요.

1. moved to another city / lost my dog → 뜻

2. ate my cookies / won the soccer game → 뜻

3. broke my robot / got a new watch → 뜻

B 그림에 알맞은 어구가 되도록 단어를 바르게 배열하여 쓰세요.

1. 

____

(a / watch / new / got)

2. 

____

(soccer / won / game / the)

3. 

____

(to / city / moved / another)

◉ 단어나 어구를 듣고, 우리말 뜻을 말해 보세요.

헬멧 쓰는 것을 잊지 마

단어

Don't Forget to Wear Your Helmet

재미있는 이야기로 오늘 배울 어구를 만나 보세요.

오늘 배울 어구를 듣고 따라 말한 후, 써 보세요.

wear your helmet
헬멧을 쓰다

wear your seatbelt
안전벨트를 매다

stop at the red light
빨간불에서 멈추어 서다

look left and right
좌우를 살피다

use the crosswalk
횡단보도를 이용하다

stay behind the line
안전선 뒤로 물러서 있다

위의 그림을 짚으며 찬트 해 보세요.

단어 쑥쑥

잘 듣고, 알맞은 어구를 골라 기호를 쓰세요.

어구 듣기

ⓐ use the crosswalk ⓑ stop at the red light ⓒ stay behind the line

1. 

2. 

3. 

그림에 알맞은 어구를 연결하세요.

의미 연결

1. 
안전벨트를 매다

2. 

헬멧을 쓰다

- wear your helmet
- use the crosswalk
- wear your seatbelt
- look left and right

3. 
좌우를 살피다

4. 
횡단보도를 이용하다

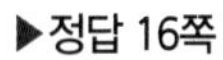

▶정답 16쪽

C 그림에 알맞은 어구를 보기 에서 골라 쓰세요.

어구 쓰기

보기 use the crosswalk　wear your helmet　wear your seatbelt

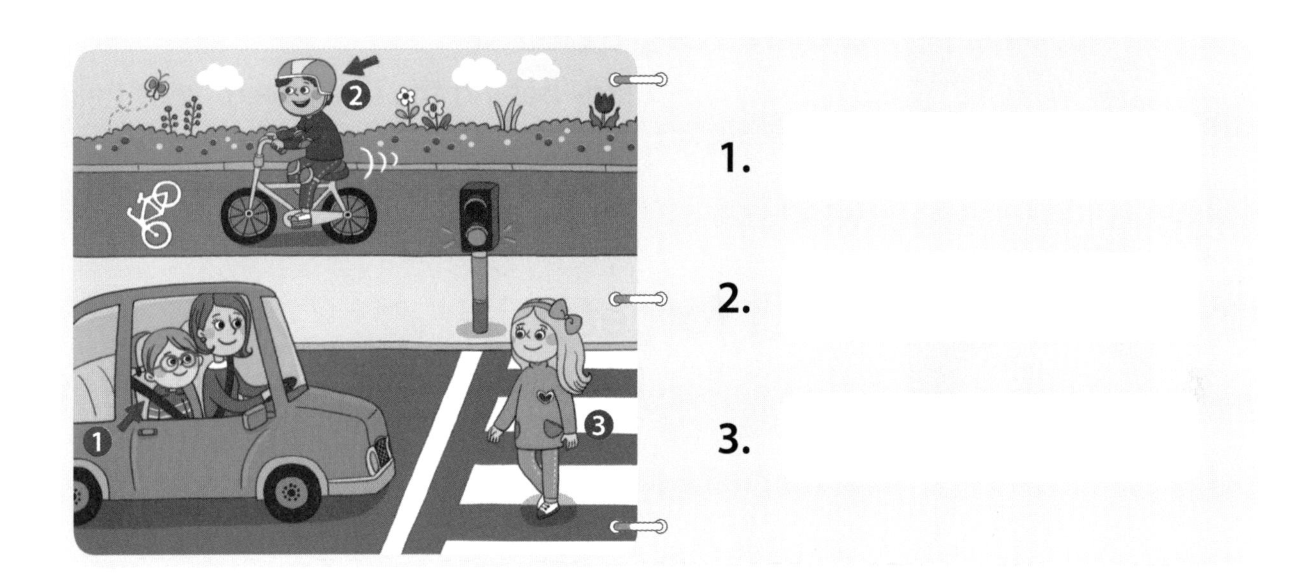

1.

2.

3.

D 잘 듣고, 그림에 알맞은 어구를 완성하세요.

어구 완성

1. 

ook le　t and rig　t

2. 

st　y be　ind the l　ne

3. 

st　p at the　ed li　ht

문장 쑥쑥

▶정답 16쪽

A 그림에 알맞은 어구를 골라 문장을 완성하세요.

1. 

Don't forget to ______________________.

(stay behind the line / wear your helmet)

헬멧 쓰는 것을 잊지 마.

2. 

Don't forget to ______________________.

(wear your seatbelt / look left and right)

안전벨트 매는 것을 잊지 마.

B 그림에 알맞은 어구를 보기에서 골라 문장을 완성하세요.

'Don't forget to+동작을 나타내는 말.'은 잊지 말고 어떤 것을 해야 한다고 말하는 표현이에요.

문장 쓰기

보기: look left and right / stop at the red light / use the crosswalk

1. 

Don't forget to ______________________.

횡단보도 이용하는 것을 잊지 마.

2. 

Don't forget to ______________________.

좌우를 살피는 것을 잊지 마.

3. 

Don't forget to ______________________.

빨간불에서 멈추어 서는 것을 잊지 마.

복습 실력 쑥쑥

▶정답 16쪽

A 잘 듣고, 알맞은 어구에 동그라미 한 후 우리말 뜻을 쓰세요.

1. use the crosswalk / stop at the red light → 뜻
2. stay behind the line / wear your helmet → 뜻
3. wear your seatbelt / look left and right → 뜻

B 그림에 알맞은 어구가 되도록 단어를 바르게 배열하여 쓰세요.

1. 
____
(right / left / look / and)

2. 
____
(line / stay / the / behind)

3. 
____
(light / at / red / stop / the)

◉ 단어나 어구를 듣고, 우리말 뜻을 말해 보세요.

우리는 에너지를 아껴야 해

단어

We Should Save Energy

재미있는 이야기로 오늘 배울 어구를 만나 보세요.

가뭄과 홍수가 심각하네.
북극곰이 불쌍해.

환경 오염으로 인한 문제가 점점 심각해지고 있어요. 오늘은 환경을 보호하기 위해 우리가 무엇을 해야 하는지 토론해 봅시다.

저는 **plant trees** 해야 한다고 생각합니다.
맞아요. 나무를 심으면 홍수를 예방할 수 있어요.
방을 나갈 때는 **turn off the lights** 하는 것도 중요해요.
아주 좋은 지적입니다.
그런 의미에서 '어스아워' 캠페인에 참여해 보는 건 어떨까요? 매년 3월 마지막 주 토요일 밤 8시 30분부터 9시 30분까지 한 시간 동안 전등을 모두 끄는 거예요. 바로 내일이네요.

OFF

8시 30분부터 9시 30분까지는 내가 게임하는 시간인데.
save energy를 위해 하루만 양보하는 게 어때?

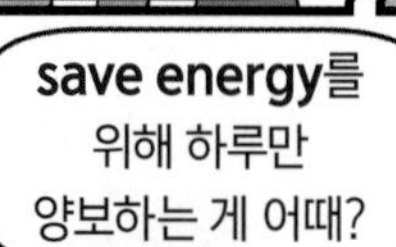

다음 날 밤 8시 30분
하나!
둘!
셋!

애비야, 누가 두꺼비집을 내렸냐?

오늘 배울 어구를 듣고 따라 말한 후, 써 보세요.

save energy
에너지를 아끼다

plant trees
나무를 심다

recycle paper
종이를 재활용하다

reuse plastic bottles
플라스틱병을 재사용하다

turn off the water
물을 잠그다

turn off the lights
불을 끄다

위의 그림을 짚으며 찬트 해 보세요.

단어 쑥쑥

A 잘 듣고, 알맞은 어구에 동그라미 하세요.

1. 

recycle paper

reuse plastic bottles

2. 

turn off the water

save energy

3. 

plant trees

turn off the lights

B 그림에 알맞은 어구와 우리말 뜻을 연결하세요.

1.  • • save energy • • 나무를 심다

2.  • • plant trees • • 종이를 재활용하다

3. 

• • recycle paper • • 에너지를 아끼다

▶정답 17쪽

C 그림에 알맞은 어구를 보기 에서 골라 쓰세요.

어구 쓰기

보기 plant trees recycle paper save energy

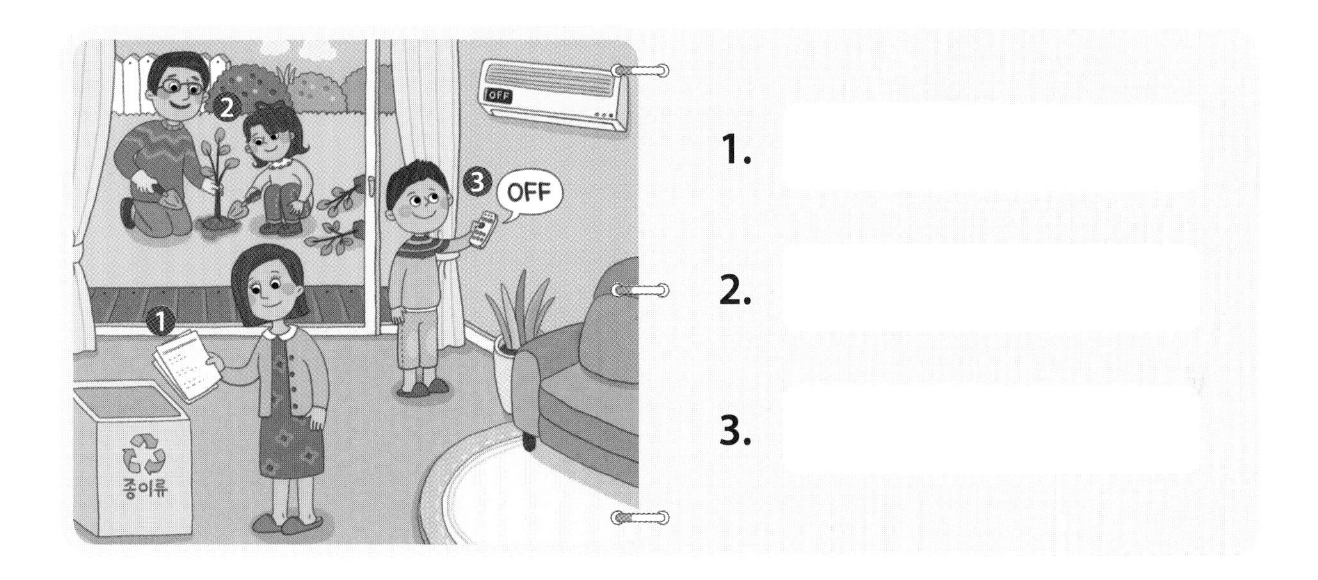

1.
2.
3.

D 잘 듣고, 그림에 알맞은 어구를 완성하세요.

어구 완성

1. 

t rn o f the ater

2. 

tu n of the lig ts

3. 

re se pl stic bo tles

문장 쑥쑥

▶정답 17쪽

A 그림에 알맞은 어구를 골라 문장을 완성하세요.

문장 완성

1. 

We should ______________________.
(save energy / plant trees)
우리는 나무를 심어야 해.

2. 

We should ______________________.
(turn off the lights / recycle paper)
우리는 종이를 재활용해야 해.

'We should+동작을 나타내는 말.'은 '우리는 ~해야 해.'라는 뜻으로 의무를 나타내는 표현이에요.

B 그림에 알맞은 어구를 보기 에서 골라 문장을 완성하세요.

문장 쓰기

보기 save energy reuse plastic bottles turn off the water

1. We should ______________________.
우리는 물을 잠가야 해.

2. 

We should ______________________.
우리는 에너지를 아껴야 해.

3. 

We should ______________________.
우리는 플라스틱병을 재사용해야 해.

복습 실력 쑥쑥

▶정답 17쪽

A 잘 듣고, 알맞은 어구에 동그라미 한 후 우리말 뜻을 쓰세요.

1. save energy / turn off the water → 뜻
2. turn off the lights / plant trees → 뜻
3. recycle paper / reuse plastic bottles → 뜻

B 그림에 알맞은 어구가 되도록 단어를 바르게 배열하여 쓰세요.

1. 

____
(plastic / reuse / bottles)

2. 

____
(the / off / lights / turn)

3. 

____
(water / turn / the / off)

◉ 어구를 듣고, 우리말 뜻을 말해 보세요.

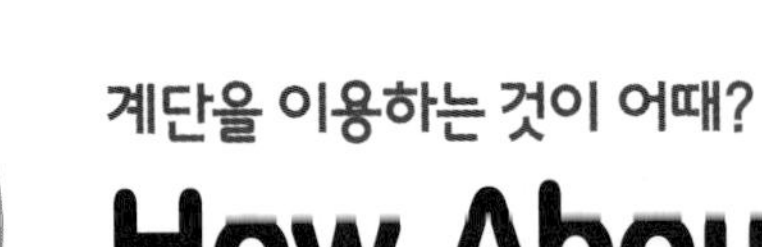

계단을 이용하는 것이 어때?

How About Using the Stairs?

단어

재미있는 이야기로 오늘 배울 어구를 만나 보세요.

오늘 배울 어구를 듣고 따라 말한 후, 써 보세요.

1

use a cup
컵을 사용하다

use the stairs
계단을 이용하다

ride a bicycle
자전거를 타다

clean the park
공원을 청소하다

pick up the trash
쓰레기를 줍다

take a short shower
샤워를 짧게 하다

위의 그림을 짚으며 찬트 해 보세요.

단어 쑥쑥

A 잘 듣고, 알맞은 어구를 골라 기호를 쓰세요.

ⓐ use a cup ⓑ pick up the trash ⓒ take a short shower

1. 

2. 

3. 

B 그림에 알맞은 어구를 연결하세요.

1. 
자전거를 타다

2. 
공원을 청소하다

- use a cup
- use the stairs
- clean the park
- ride a bicycle

3. 
계단을 이용하다

4. 
컵을 사용하다

▶정답 18쪽

그림에 알맞은 어구를 보기 에서 골라 쓰세요.

어구 쓰기

보기 use the stairs use a cup ride a bicycle

1.

2.

3.

잘 듣고, 그림에 알맞은 어구를 완성하세요.

어구 완성

1. 

le n the pa k

2. 

pi k p the tra h

3. 

t ke a hort s ower

문장 쑥쑥

▶정답 18쪽

A 그림에 알맞은 어구를 골라 문장을 완성하세요.

1. 

How about ______________________ ?
(using a cup / using the stairs)
계단을 이용하는 것이 어때?

2. 

How about ______________________ ?
(riding a bicycle / cleaning the park)
자전거를 타는 것이 어때?

B 그림에 알맞은 어구를 보기에서 골라 문장을 완성하세요.

'How about+동작을 나타내는 말ing ~?'는 '~하는 것이 어때?'라는 뜻으로 제안하는 표현이에요.

문장 쓰기

보기 using a cup taking a short shower picking up the trash

1. How about ______________________ ?
컵을 사용하는 것이 어때?

2. How about ______________________ ?
쓰레기를 줍는 것이 어때?

3. How about ______________________ ?
샤워를 짧게 하는 것이 어때?

복습 실력 쑥쑥

▶정답 18쪽

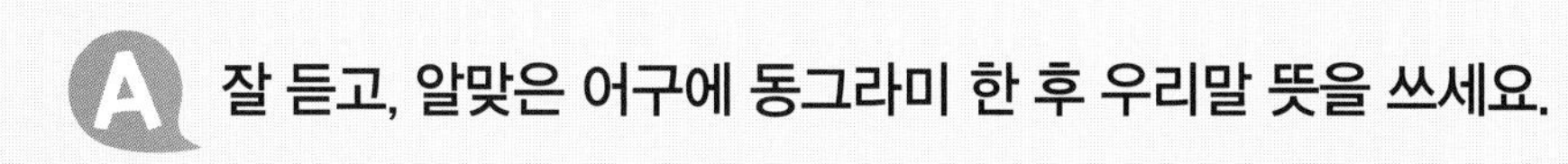

A 잘 듣고, 알맞은 어구에 동그라미 한 후 우리말 뜻을 쓰세요.

1. use the stairs / pick up the trash → 뜻
2. ride a bicycle / clean the park → 뜻
3. use a cup / take a short shower → 뜻

B 그림에 알맞은 어구가 되도록 단어를 바르게 배열하여 쓰세요.

1.

____
(bicycle / a / ride)

2.

____
(the / pick / trash / up)

3.

____
(a / shower / take / short)

차곡차곡 복습!

◉ 어구를 듣고, 우리말 뜻을 말해 보세요.

3주

스페셜 SPECIAL VOCA

둘이 만나 완전히 다른 의미가 되는 구동사

재미있는 이야기로 오늘 배울 어구를 만나 보세요.

오늘 배울 어구를 들으며 따라 말해 보세요.

turn on

(전기, 수도 등을)
켜다

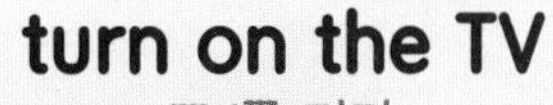

turn on the TV
TV를 켜다

turn on the phone
전화기를 켜다

turn off

(전기, 수도 등을)
끄다

turn off the TV
TV를 끄다

turn off the phone
전화기를 끄다

put on

(옷, 신발, 모자 등을)
입다, 신다, 쓰다

put on your cap
모자를 쓰다

put on your socks
양말을 신다

take off

(옷, 신발, 모자 등을)
벗다

take off your cap
모자를 벗다

take off your socks
양말을 벗다

위의 그림을 짚으며 찬트 해 보세요.

단어 쑥쑥

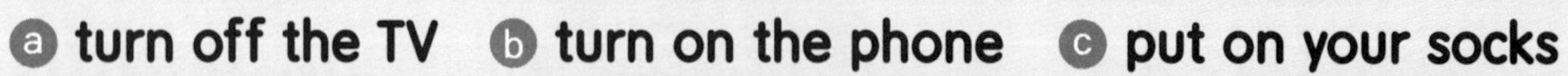

A 잘 듣고, 알맞은 어구를 골라 기호를 쓰세요.

ⓐ turn off the TV ⓑ turn on the phone ⓒ put on your socks

1. 

2. 

3. 

B 그림에 알맞은 어구를 연결하세요.

1. 
모자를 쓰다

2. 

전화기를 끄다

3. 

TV를 켜다

4. 
양말을 벗다

- turn on the TV
- 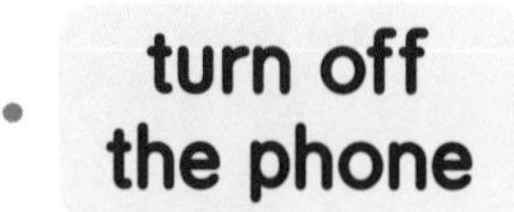 turn off the phone
- put on your cap
- 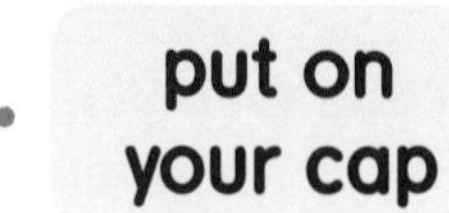 take off your socks

▶정답 19쪽

그림에 알맞은 어구를 보기 에서 골라 쓰세요.

보기 put on your cap turn off the TV take off your socks

1.

2.

3.

3 주

D 잘 듣고, 그림에 알맞은 어구를 완성하세요.

어구 완성

1.

ta e o f your ap

2.

p t n your so ks

3.

tu n o the p one

단어 쑥쑥 플러스

▶정답 19쪽

◉ 그림을 보고 A와 B에서 알맞은 어구를 골라 쓰세요. (한 어구를 여러 번 쓸 수 있어요.)

A	
turn on	turn off
put on	take off

B	
the TV	the phone
your cap	your socks

1.

2.

3.

4.

5.

6.

실력 쑥쑥

▶정답 19쪽

A 잘 듣고, 알맞은 어구에 동그라미 한 후 우리말 뜻을 쓰세요.

1. turn on the TV / turn off the TV → 뜻

2. take off your cap / put on your cap → 뜻

3. take off your socks / put on your socks → 뜻

3주

B 그림에 알맞은 어구가 되도록 단어를 바르게 배열하여 쓰세요.

1. 

____

(your / take / cap / off)

2. 

____

(off / phone / turn / the)

3. 

____

(socks / put / your / on)

◉ 어구를 듣고, 우리말 뜻을 말해 보세요.

배운 내용을 떠올리며 말판 놀이를 해 보세요.

START
1. 그림과 어구가 일치하면 ○ 표, 일치하지 않으면 × 표 하세요.
use the stairs
2. 어구를 읽고 알맞은 우리말 뜻과 연결하세요.
save energy
plant trees
나무를 심다
에너지를 아끼다
3. 어구를 읽고 알맞은 그림에 동그라미 하세요.
stop at the red light
4. 그림에 알맞은 어구를 완성하세요.
_____ paper
7. 그림에 알맞은 어구를 완성하세요.
_____ _____ your socks
8. 어구를 읽고 알맞은 그림에 동그라미 하세요.
put on your cap
9. 그림을 보고 알맞은 어구에 동그라미 하세요.
ate my cookies
broke my robot

5. 그림을 보고 단어를 바르게 배열하여 어구를 쓰세요.

a / shower / take / short

→ ____________

6. 그림을 보고 알맞은 어구에 동그라미 하세요.

wear your helmet

wear your seatbelt

FINISH

12. 반대의 뜻을 가진 구동사끼리 연결하세요.

turn on •	• take off
put on •	• turn off

11. 그림과 어구가 일치하면 ○ 표, 일치하지 않으면 × 표 하세요.

won the soccer game

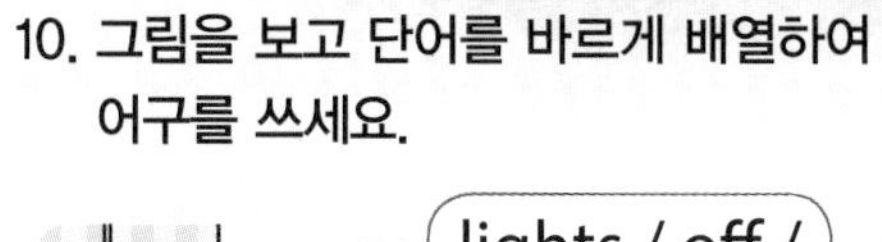

10. 그림을 보고 단어를 바르게 배열하여 어구를 쓰세요.

lights / off / the / turn

→ ____________

Brain Game Zone 창의 · 융합 · 코딩

A 동그라미 세 개를 움직여 역삼각형(▽) 모양을 만든 후, 움직인 동그라미 안의 단어로 어구와 우리말 뜻을 쓰세요.

use

a cup

clean park trash

the pick up stairs

어구:

뜻:

B 준우의 태블릿이 바이러스에 감염되었어요. 단어를 골라 그림에 알맞은 어구를 쓴 후, 바이러스가 숨겨 둔 단어를 찾아 동그라미 하세요.

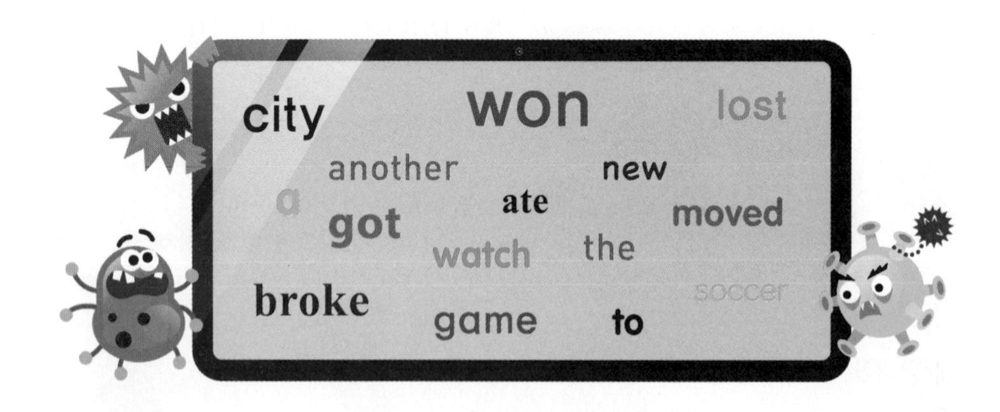

1. 

2. 

3. 

C 그림 카드가 어떤 규칙에 따라 배열되어 있어요. 규칙을 찾아 빈 곳에 그림을 그리고 알맞은 어구를 쓰세요. (책을 돌려서 문제를 푸세요.)

D 얼음이가 얼음 위에 암호를 남겼어요. 단서를 보고 암호를 풀어 어구를 쓰세요.

단서 1

♣	☆	◎	△	♠	♡	◈	◐	▼
a	b	e	k	l	o	r	s	t

단서 2

1. ♠♡◐▼ my dog →

2. ♣▼◎ my cookies →

3. ☆◈♡△◎ my robot →

E 펭이가 학교에 안전하게 도착할 수 있도록 그림에 알맞은 어구를 미로에서 찾아 쓰세요.

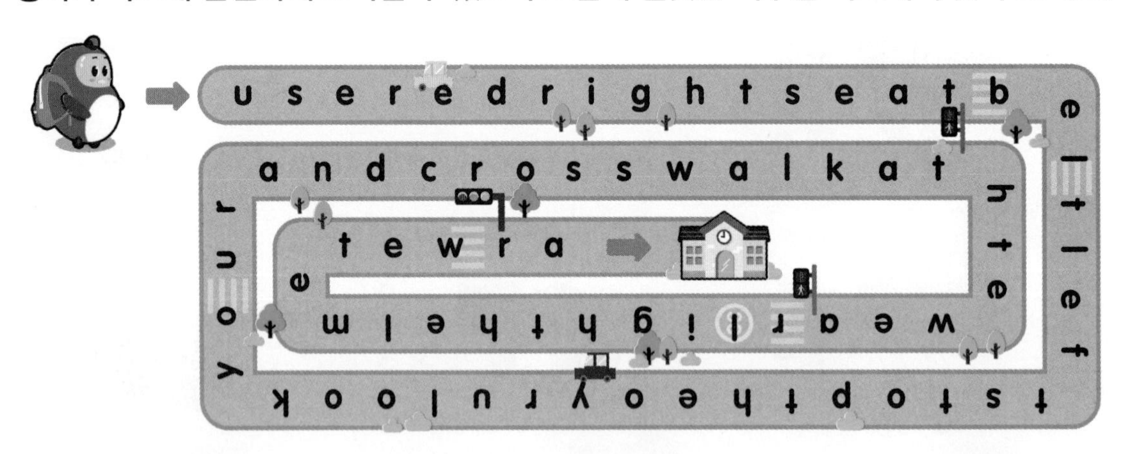

1.

2.

3.

F 각 그림에 알맞은 어구를 완성한 후, 단서를 읽고 9개의 동그라미를 연결하는 선이 마지막으로 지나는 어구를 쓰세요.

단서
1. 연필을 떼지 않고 직선 4개로 9개의 동그라미를 모두 연결해야 해요.
2. 선은 출발점을 제외하고 각 동그라미를 한 번씩만 지날 수 있어요.
3. 오른쪽 모양을 참고하세요.

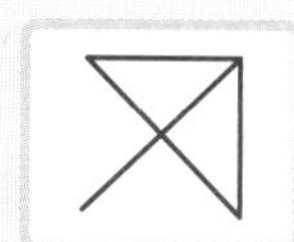

마지막 어구: ______

누구나 100점 TEST

1 어구에 알맞은 그림을 고르세요.

moved to another city

① 

② 

③ 

④ 

2 그림에 알맞은 어구를 고르세요.

① use a cup ② use the stairs
③ save energy ④ recycle paper

3 그림에 없는 어구를 고르세요.

① use the crosswalk
② wear your helmet
③ wear your seatbelt
④ look left and right

4 그림과 어구가 일치하지 않는 것을 고르세요.

① 
ride a bicycle

② 
reuse plastic bottles

③ 
clean the park

④ 
turn off the water

▶정답 21쪽

5 그림에 알맞은 어구를 보기 에서 골라 기호를 쓰세요.

보기
ⓐ pick up the trash
ⓑ turn off the lights
ⓒ take a short shower

(1)

(2)

6 그림을 보고 문장의 빈칸에 알맞은 어구를 고르세요.

I ____________________.

① lost my dog

② broke my robot

③ got a new watch

④ won the soccer game

7 그림에 알맞은 어구를 골라 쓰세요.

(turn on the TV / turn off the TV)

8 그림에 알맞은 어구가 되도록 단어를 바르게 배열하여 쓰세요.

(1) ____________________

(your / off / socks / take)

(2) ____________________

(cap / put / your / on)

4주 4주에는 무엇을 공부할까? ①

재미있는 이야기로 이번 주에 공부할 내용을 알아보세요.

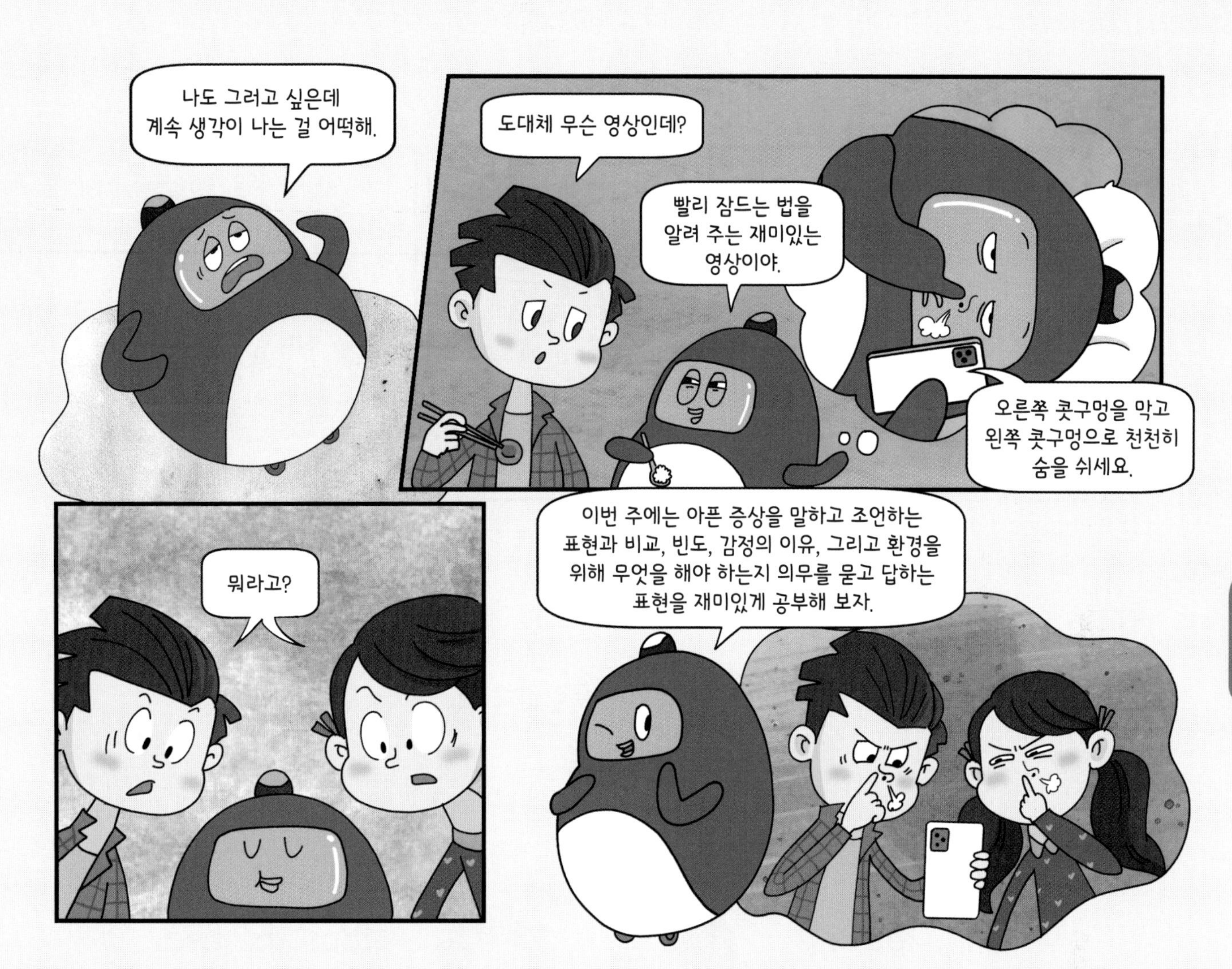

4
주

1일 I Have a Headache

2일 Which Is Heavier?

3일 How Often Do You Drink Soda?

4일 Why Are You So Sad?

5일 What Should We Do for the Earth?

4주에는 무엇을 공부할까? ②

A

◉ 대화 속에서 더 빠른 동물이 무엇인지 우리말로 써 보세요.

Which is faster?

The lion is faster than the bear.

더 빠른 동물: ____________

답 사자

B

뭐야, 뭐야? 왜 이렇게 기분이 좋아?
어제 새 손목시계가 생겼어.
근데 왜 아무것도 안 보여?
짠!
태양광 시계라 맑은 날만 작동해.
헉

◉ 은별이가 슬퍼하는 이유를 골라 ✓ 표 해 보세요.

Why are you so sad?

Because I lost my dog.

개가 아파서	개를 잃어버려서	손목시계를 잃어버려서

답 개를 잃어버려서

나는 머리가 아파

I Have a Headache

쓰기

재미있는 이야기로 오늘 배울 표현을 만나 보세요.

오늘 배울 표현을 들으며 따라 말해 보세요.

I have a headache.
나는 머리가 아파.

You should get some rest.
너는 쉬어야 해.

headache
두통

get some rest
쉬다

stomachache
복통

take some medicine
약을 먹다

cold
감기

go and see a doctor
병원에 가다

문장 쓰며 실력 쑥쑥

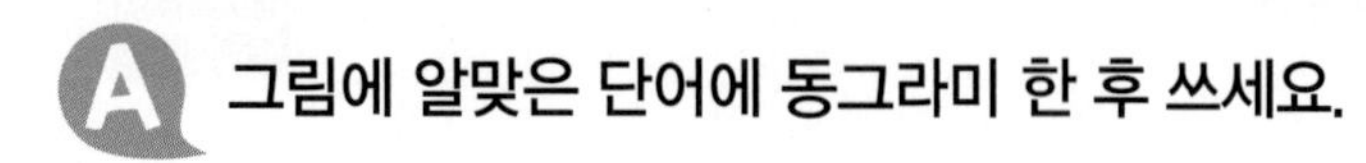

A 그림에 알맞은 단어에 동그라미 한 후 쓰세요.

1.

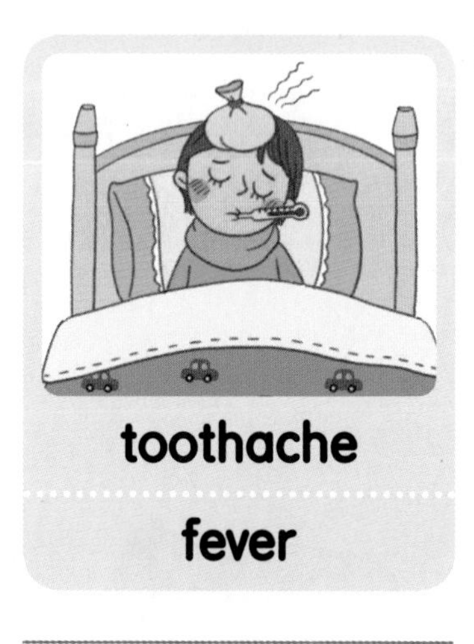

2.

3.

headache

runny nose

B 어구를 따라 쓴 후 알맞은 그림에 연결하세요.

1. get some rest •

2. drink warm water •

3. go to bed early •

• 

• 

• 

▶정답 22쪽

C 그림에 알맞은 단어에 동그라미 한 후 문장을 완성하세요.

1. 

cold / headache

I have a ____________.

나는 머리가 아파.

2. 

toothache / runny nose

I have a ____________.

나는 이가 아파.

D 그림에 알맞은 어구를 보기에서 골라 문장을 완성하세요.

보기

drink warm water
go and see a doctor
take some medicine
go and see a dentist

1. 

You should ____________.

너는 약을 먹어야 해.

2. 

You should ____________.

너는 치과에 가야 해.

3. 

You should ____________.

너는 병원에 가야 해.

대화 완성하며 실력 쑥쑥

A 그림을 보고, 알맞은 조언에 ✓ 표 하세요.

1.

I have a cold.

☐ You should go to bed early.

☐ You should go and see a dentist.

2.

☐ You should get some rest.

☐ You should take some medicine.

아플 때는 'I have a+증상.'으로, 조언할 때는 'You should+동작을 나타내는 말.'로 표현해요.

B 그림을 보고, 단어를 바르게 배열하여 문장을 쓰세요.

1.

A: ______________________________

(a / I / runny nose / have)

나는 콧물이 나.

B: You should drink warm water.

너는 따뜻한 물을 마셔야 해.

2.

A: ______________________________

(have / stomachache / I / a)

나는 배가 아파.

B: You should go and see a doctor.

너는 병원에 가야 해.

▶정답 22쪽

C 그림을 보고, 대화를 완성하세요.

1. 

A: I have a headache.

B: You should ______________________.

2. 

A: I have a fever.

B: You should ______________________.

3. 

A: I have a toothache.

B: ______________________

창의 서술형

D 감기에 걸린 친구에게 여러분이 해 주고 싶은 조언을 그린 후 문장을 쓰세요.

A: I have a cold.

B: ______________________

어느 것이 더 무겁니?

Which Is Heavier?

쓰기

재미있는 이야기로 오늘 배울 표현을 만나 보세요.

오늘 배울 표현을 들으며 따라 말해 보세요.

Which is heavier?
어느 것이 더 무겁니?

The pig is heavier than the bird.
돼지가 새보다 더 무거워.

heavier
더 무거운

lighter
더 가벼운

faster
더 빠른

slower
더 느린

stronger
힘이 더 센

weaker
힘이 더 약한

문장 쓰며 실력 쑥쑥

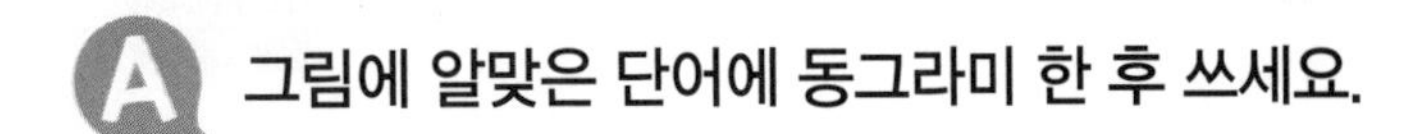

A 그림에 알맞은 단어에 동그라미 한 후 쓰세요.

1.

faster
slower

2.
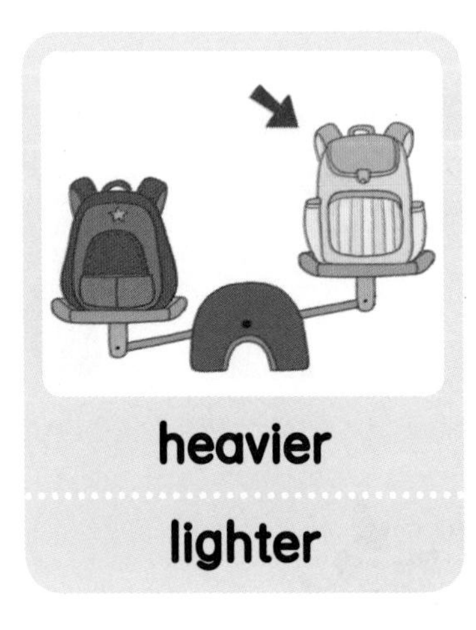

heavier
lighter

3.

stronger
weaker

B 단어를 따라 쓴 후 알맞은 그림에 연결하세요.

1. slower

2. heavier

3. weaker

▶정답 23쪽

C 그림에 알맞은 단어에 동그라미 한 후 문장을 완성하세요.

1.
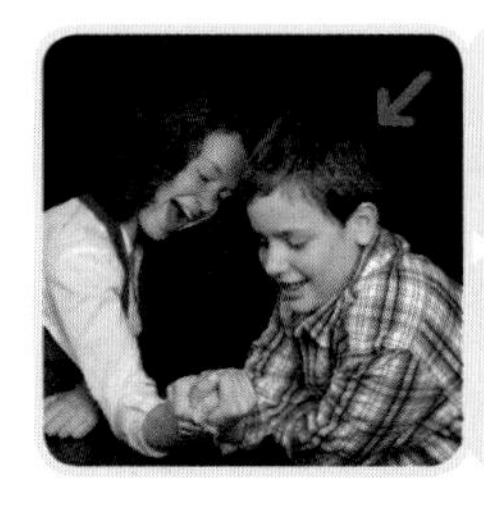

lighter / stronger

I'm ______________ than Lucy.

내가 루시보다 힘이 더 세.

2.

faster / heavier

You're ______________ than Tony.

네가 토니보다 더 빨라.

그림에 알맞은 단어를 보기 에서 골라 문장을 완성하세요.

보기 **slower** **heavier** **lighter** **weaker**

1.

Sam is ______________ than Andy.

샘은 앤디보다 힘이 더 약해.

2.

The bike is ______________ than the bus.

자전거가 버스보다 더 느려.

3.

The cup is ______________ than the bag.

컵이 가방보다 더 가벼워.

대화 완성하며 실력 쑥쑥

A 그림을 보고, 질문에 알맞은 대답에 ✓표 하세요.

1.

☐ The zebra is faster than the lion.

☐ The lion is faster than the zebra.

2.

☐ The robot is lighter than the book.

☐ The book is lighter than the robot.

B 그림을 보고, 단어나 어구를 바르게 배열하여 대답을 쓰세요.

두 동물이나 사물을 비교할 때는 'Which is+비교하는 말?'로 묻고, 'A is+비교하는 말+than B.'로 대답해요.

1.

A: **Which is heavier?**
어느 것이 더 무겁니?

B: ______________________

(the kiwi / is / than / The apple / heavier)
사과가 키위보다 더 무거워.

2.

A: **Which is weaker?**
어느 것이 힘이 더 약하니?

B: ______________________

(is / than / The fox / weaker / the bear)
여우가 곰보다 힘이 더 약해.

▶정답 23쪽

C 그림을 보고, 대화를 완성하세요.

1. 

A: Which is ________?

B: The box is ______________ the ball.

2. 

A: Which is ________?

B: The red car is ______________ the blue car.

3. 

A: Which is ________?

B: ____________________________________

창의 서술형

D 여러분이 비교하고 싶은 두 대상을 그린 후 대화를 완성하세요.

A: Which is ________?

B: ________________________________

너는 얼마나 자주 탄산음료를 마시니?

쓰기

How Often Do You Drink Soda?

재미있는 이야기로 오늘 배울 표현을 만나 보세요.

오늘 배울 표현을 들으며 따라 말해 보세요.

How often do you drink soda?
너는 얼마나 자주 탄산음료를 마시니?

I drink soda twice a day.
나는 하루에 두 번 탄산음료를 마셔.

drink soda
탄산음료를 마시다

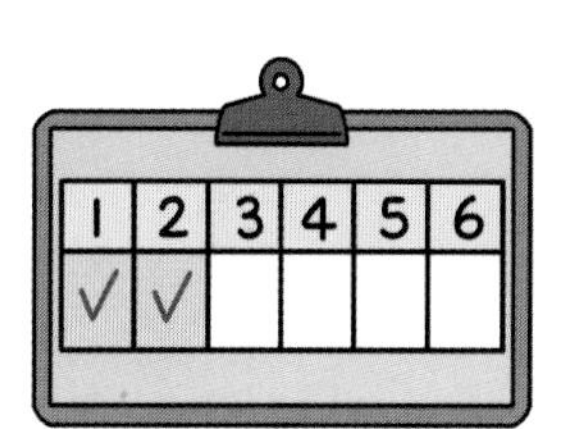

twice a day
하루에 두 번

brush your teeth
이를 닦다

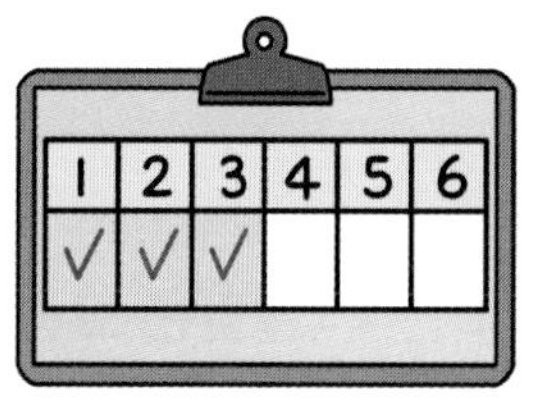

three times a day
하루에 세 번

stay up late
늦게까지 깨어 있다

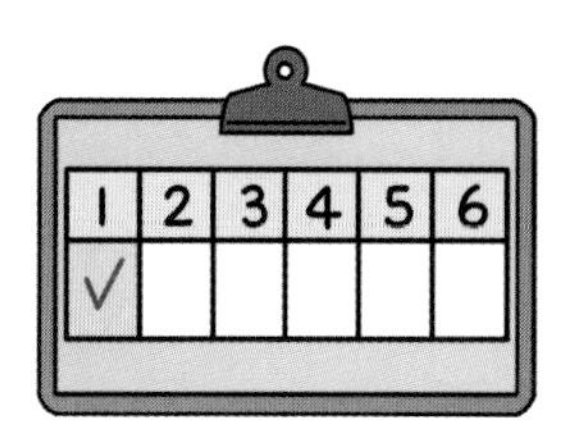

once a week
일주일에 한 번

문장 쓰며 실력 쑥쑥

그림에 알맞은 어구에 동그라미 한 후 쓰세요.

1.

eat fast food

stay up late

2.

brush your teeth

wash your hands

B 어구를 따라 쓴 후 알맞은 그림에 연결하세요.

1. once a week

2. twice a week

3. five times a day

▶정답 24쪽

C 그림에 알맞은 단어나 어구에 동그라미 한 후 문장을 완성하세요.

1.

once / twice

I drink soda ________________ a day.

나는 하루에 두 번 탄산음료를 마셔.

2.

four times / five times

I exercise ________________ a week.

나는 일주일에 네 번 운동해.

D 그림에 알맞은 어구를 보기에서 골라 문장을 완성하세요.

보기

brush my teeth | stay up late
eat fast food | wash my hands

1.

I ________________ once a week.

나는 일주일에 한 번 늦게까지 깨어 있어.

2.

I ________________ six times a day.

나는 하루에 여섯 번 손을 씻어.

3.

I ________________ three times a day.

나는 하루에 세 번 이를 닦아.

대화 완성하며 실력 쑥쑥

A 그림을 보고, 질문에 알맞은 대답에 ✓ 표 하세요.

1. How often do you drink soda?

1/하루

☐ I drink soda once a day.

☐ I drink soda twice a day.

2. How often do you exercise?

5/일주일

☐ I exercise four times a week.

☐ I exercise five times a week.

어떤 행동을 얼마나 자주 하는지 물을 때는 How often ~?으로 묻고, once, twice와 같이 횟수를 나타내는 말로 대답할 수 있어요.

B 그림을 보고, 단어나 어구를 바르게 배열하여 질문을 쓰세요.

1.

A: ______________________________

(fast food / How often / you / eat / do)

너는 얼마나 자주 패스트푸드를 먹니?

B: I eat fast food twice a week.

나는 일주일에 두 번 패스트푸드를 먹어.

2.

A: ______________________________

(do / wash / you / your hands / How often)

너는 얼마나 자주 손을 씻니?

B: I wash my hands six times a day.

나는 하루에 여섯 번 손을 씻어.

▶정답 24쪽

C 그림을 보고, 대화를 완성하세요.

1. 

A: How often do you drink soda?

B: I ______________________ a week.

2. 

A: How often do you stay up late?

B: I ______________________ a week.

3. 

A: How often do you brush your teeth?

B: ______________________

D 여러분이 얼마나 자주 운동을 하는지 그린 후 질문에 알맞은 대답을 쓰세요.

A: How often do you exercise?

B: ______________________

너는 왜 그렇게 슬퍼하니?

쓰기

Why Are You So Sad?

재미있는 이야기로 오늘 배울 표현을 만나 보세요.

오늘 배울 표현을 들으며 따라 말해 보세요.

Why are you so sad?
너는 왜 그렇게 슬퍼하니?

Because I lost my dog.
내 개를 잃어버렸기 때문이야.

lost my dog
내 개를 잃어버렸다

moved to another city
다른 도시로 이사 갔다

got a new watch
새 손목시계가 생겼다

won the soccer game
축구 경기에서 이겼다

ate my cookies
내 쿠키를 먹었다

broke my robot
내 로봇을 망가뜨렸다

문장 쓰며 실력 쑥쑥

A 그림에 알맞은 어구에 동그라미 한 후 쓰세요.

1. lost my dog / moved to another city

2. got a new watch / won the soccer game

B 어구를 따라 쓴 후 알맞은 그림에 연결하세요.

1. ate my cookies •

2. broke my robot •

3. got a new watch •

• 

• 

• 

▶정답 25쪽

C 그림에 알맞은 어구에 동그라미 한 후 문장을 완성하세요.

1. 

lost my dog

got a new watch

I ________________.

나는 내 개를 잃어버렸어.

2. 

ate my cookies

broke my robot

My sister ________________.

여동생이 내 쿠키를 먹었어.

D 그림에 알맞은 어구를 보기 에서 골라 문장을 완성하세요.

보기

broke my robot　　won the soccer game

got a new watch　　moved to another city

1. 

We ________________.

우리가 축구 경기에서 이겼어.

2. 

My brother ________________.

남동생이 내 로봇을 망가뜨렸어.

3. 

My friend ________________.

친구가 다른 도시로 이사 갔어.

대화 완성하며 실력 쑥쑥

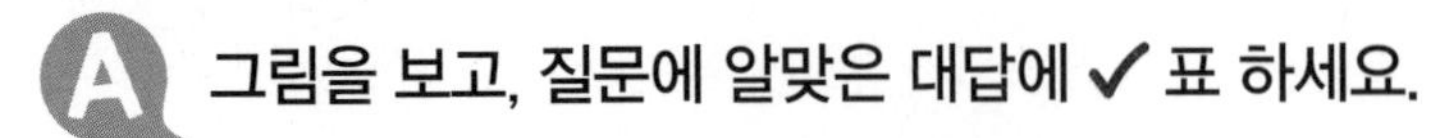

1.

- ☐ Because I got a new watch.
- ☐ Because we won the soccer game.

2.

- ☐ Because my sister ate my cookies.
- ☐ Because my sister broke my robot.

Why는 '왜'라는 뜻으로 이유를 묻는 말이고, Because는 '… 때문에'라는 뜻으로 이유를 나타내는 말이에요.

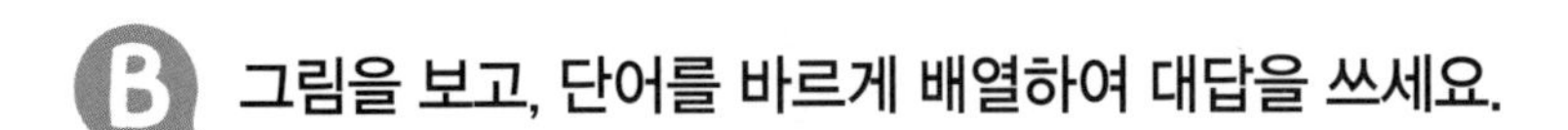

1.

A: Why are you so sad?
너는 왜 그렇게 슬퍼하니?

B: ______________________________

(lost / dog / Because / my / I)
내 개를 잃어버렸기 때문이야.

2.

A: Why are you so happy?
너는 왜 그렇게 기분이 좋니?

B: ______________________________

(new / got / I / watch / Because / a)
새 손목시계가 생겼기 때문이야.

▶정답 25쪽

C 그림을 보고, 대화를 완성하세요.

1.

A: Why are you so happy?

B: Because we ______________________.

2.

A: Why are you so angry?

B: Because my brother ________________.

3.

A: Why are you so sad?

B: ______________________________

창의 서술형

D 지금 여러분의 감정과 그 이유를 그린 후 대화를 완성하세요.

A: Why are you so ____________?

B: ______________________________

지구를 위해 우리가 무엇을 해야 할까?

쓰기

What Should We Do for the Earth?

재미있는 이야기로 오늘 배울 표현을 만나 보세요.

오늘 배울 표현을 들으며 따라 말해 보세요.

What should we do for the earth?
지구를 위해 우리가 무엇을 해야 할까?

We should recycle paper.
우리는 종이를 재활용해야 해.

recycle paper
종이를 재활용하다

save energy
에너지를 아끼다

plant trees
나무를 심다

use a cup
컵을 사용하다

pick up the trash
쓰레기를 줍다

take a short shower
샤워를 짧게 하다

문장 쓰며 실력 쑥쑥

A 그림에 알맞은 어구에 동그라미 한 후 쓰세요.

1.

pick up the trash

take a short shower

2.

use a cup

recycle paper

B 어구를 따라 쓴 후 알맞은 그림에 연결하세요.

1. save energy

2.

3.

▶정답 26쪽

그림에 알맞은 어구에 동그라미 한 후 문장을 완성하세요.

1.

use a cup
plant trees

We should ____________________.
우리는 나무를 심어야 해.

2.

save energy
recycle paper

We should ____________________.
우리는 에너지를 아껴야 해.

D 그림에 알맞은 어구를 보기 에서 골라 문장을 완성하세요.

use a cup	pick up the trash
recycle paper	take a short shower

1.

We should ____________________.
우리는 종이를 재활용해야 해.

2.

We should ____________________.
우리는 쓰레기를 주워야 해.

3.

We should ____________________.
우리는 샤워를 짧게 해야 해.

대화 완성하며 실력 쑥쑥

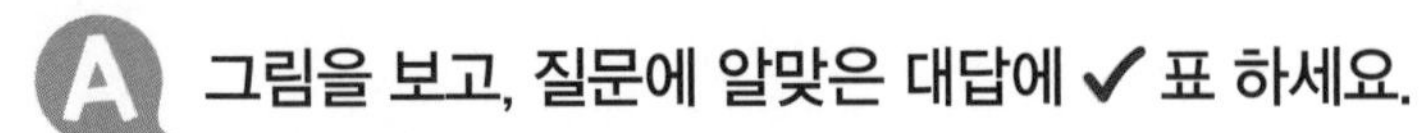

A 그림을 보고, 질문에 알맞은 대답에 ✓표 하세요.

1.

☐ We should save energy.

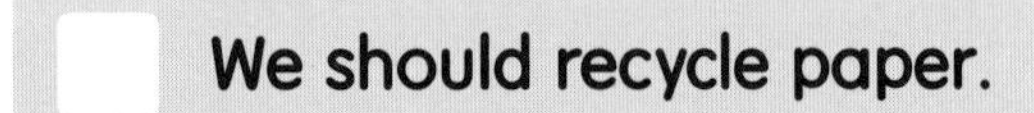

☐ We should recycle paper.

2.

☐ We should use a cup.

☐ We should plant trees.

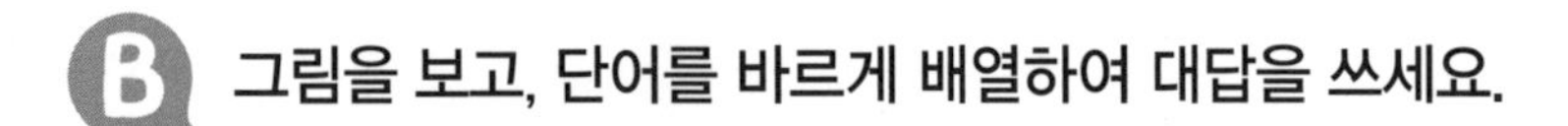

B 그림을 보고, 단어를 바르게 배열하여 대답을 쓰세요.

무엇을 해야 하는지 의무를 물을 때는 'What should we do ~?'로 말하고, 'We should+동작을 나타내는 말.'로 대답해요.

1.

A: What should we do for the earth?
지구를 위해 우리가 무엇을 해야 할까?

B: ______________________________

(pick / We / trash / should / up / the)
우리는 쓰레기를 주워야 해.

2.

A: What should we do for the earth?
지구를 위해 우리가 무엇을 해야 할까?

B: ______________________________

(shower / a / should / short / We / take)
우리는 샤워를 짧게 해야 해.

▶정답 26쪽

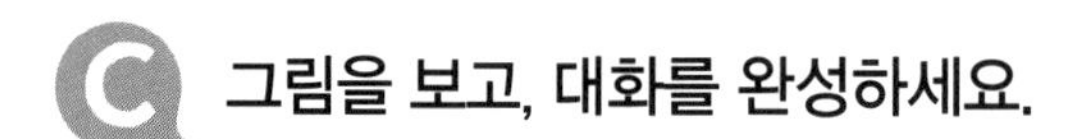

C 그림을 보고, 대화를 완성하세요.

1. 

A: What should we do for the earth?

B: We should ____________________.

2. 

A: What should we do for the earth?

B: We should ____________________.

3. 

A: What should we do for the earth?

B: ____________________

창의 서술형

D 지구를 위해 우리가 무엇을 해야 하는지 여러분의 생각을 그린 후 대답을 쓰세요.

A: What should we do for the earth?

B: ____________________

4주 특강 창의 · 융합 · 코딩 Brain Game Zone

배운 내용을 떠올리며 말판 놀이를 해 보세요.

정답 27쪽

2. 단어를 바르게 배열하여 대화를 완성하세요.

A: I have a toothache.
B: You should ____________

____________________.
(dentist / and / a / see / go)

3. 대화를 읽고 B가 기쁜 이유를 골라 ✓ 표 하세요.

A: Why are you so happy?
B: Because I got a new watch.

새 시계가 생겨서 | 새 가방이 생겨서

4. 대화를 읽고 알맞은 그림에 동그라미 하세요.

A: How often do you drink soda?
B: I drink soda four times a week.

4 | 4

5. 그림을 보고 대화의 빈칸에 공통으로 알맞은 단어를 쓰세요.

A: Which is ________?
B: The bird is ________ than the pig.

10. 질문을 읽고 그림에 알맞은 대답을 골라 ✓ 표 하세요.

What should we do for the earth?

We should plant trees.
We should save energy.

A 아픈 친구들에게 펭이가 조언을 해 주었어요. 미로를 통과하며 만나는 단어로 대화를 완성하세요.

1.

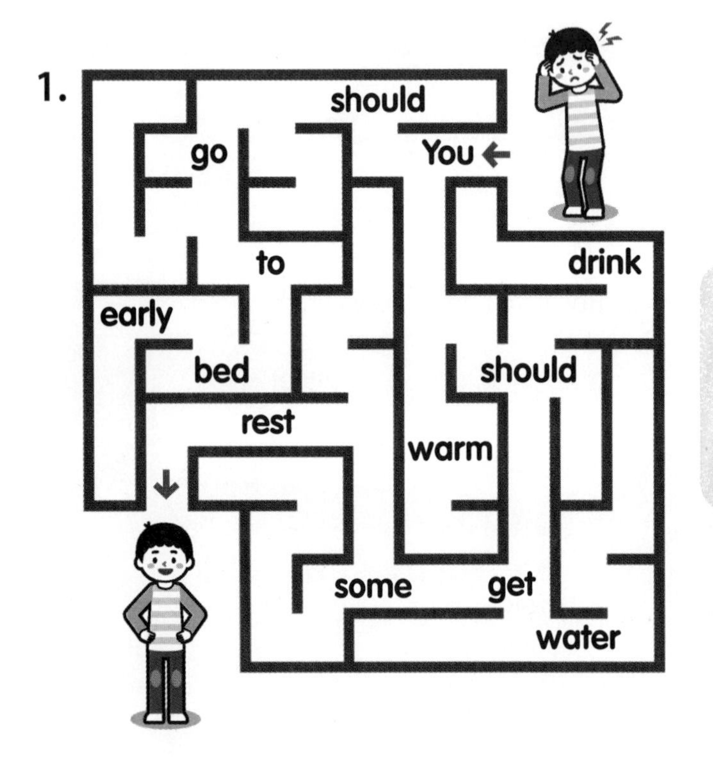

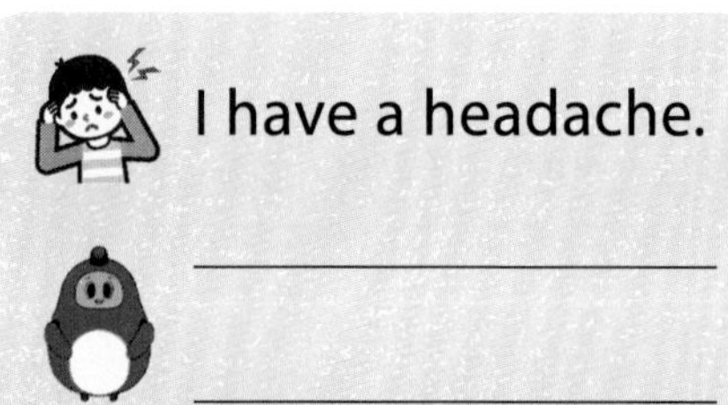

2.

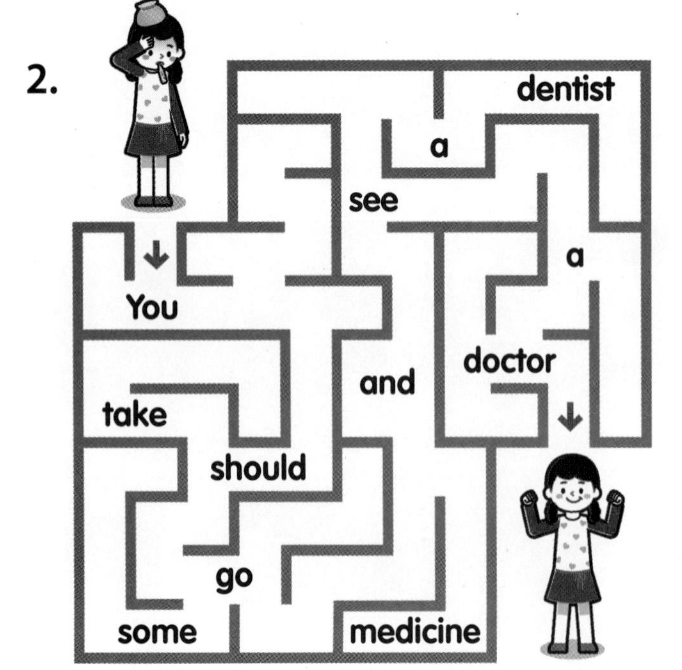

I have a fever.

____
____

정답 27쪽

B 친구들과 선생님이 마피아 게임을 하고 있어요. 선생님의 질문에 거짓으로 대답한 사람이 마피아예요. 단서를 보고 마피아를 찾아 이름을 쓰세요.

1\.
Which is slower?
준우: The dog is slower than the lion.

2\.
Which is lighter?
은별: The bird is lighter than the pig.

3\.
Which is heavier?
펭이: The pig is heavier than the bird.

4\.
Which is weaker?
얼음이: The elephant is weaker than the ant.

C 몬스터 친구들이 그림이 나타내는 행동을 얼마나 자주 하는지 말하고 있어요. 단서를 읽고 표를 완성한 후, 보기에서 알맞은 어구를 골라 대화를 완성하세요.

단서 각 칸에 있는 숫자를 가로와 세로로 모두 더해 보세요.

	통통	봉봉	쏭쏭
/ 일주일	2	7	6
1. / 일주일	9	5	
2. / 하루	4		8

보기

exercise　　eat fast food
drink soda　　brush your / my teeth

1.
How often do you ____________________?
I ____________________ a week.

2.
How often do you ____________________?
I ____________________ a day.

D 다음 퍼즐에는 알파벳이 숨겨져 있어요. 단서 를 보고 퍼즐에서 알맞은 단어를 골라 해당 칸을 색칠한 후 대화를 완성하고, 숨겨진 알파벳을 찾아 쓰세요.

단서

숨겨진 알파벳:

Because	my	friend	moved	to
I	lost	dog	another	watch
got	new	city	recycle	paper
a	We	should	save	energy
should	pick	up	the	trash

1.
A: Why are you so sad?
B: ______________________________

2.
A: What should we do for the earth?
B: ______________________________

4주 누구나 100점 TEST

1 문장을 읽고 알맞은 그림을 고르세요.

I stay up late once a week.

①  

② 

③ 

④ 

2 그림을 보고 문장의 빈칸에 알맞은 단어를 고르세요.

The fox is ________ than the bear.

① stronger ② weaker
③ lighter ④ slower

3 그림을 보고 알맞은 문장을 고르세요.

① I have a headache.
② I have a toothache.
③ I have a runny nose.
④ I have a stomachache.

4 대화를 읽고 알맞은 그림을 고르세요.

A: Why are you so angry?
B: Because my brother broke my robot.

① 

② 

③ 

④ 

맞은 개수 /8개

▶정답 28쪽

5 그림을 보고 대화의 빈칸에 알맞은 말이 바르게 짝 지어진 것을 고르세요.

A: I have a ___________.
B: You should ______________.

① fever - go to bed early
② fever - take some medicine
③ cold - go to bed early
④ cold - take some medicine

6 그림을 보고 남자아이가 할 말로 알맞은 것을 고르세요.

A: What should we do for the earth?
B: ______________________________

① We should plant trees.
② We should save energy.
③ We should recycle paper.
④ We should take a short shower.

7 그림을 보고 빈칸에 알맞은 어구를 골라 쓰세요.

A: Why are you so sad?
B: Because I ____________________.
(got a new watch / lost my dog)

8 그림을 보고 단어나 어구를 바르게 배열하여 대화를 완성하세요.

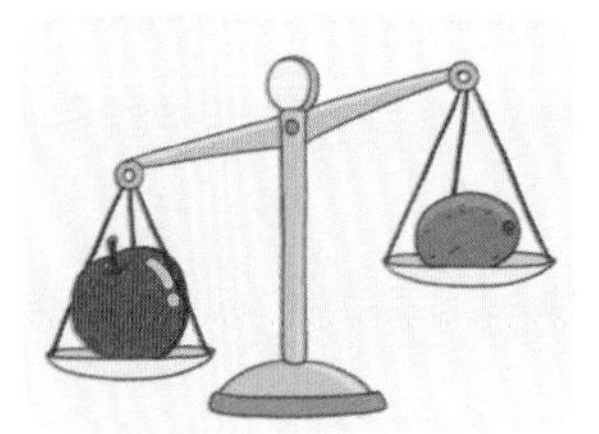

A: Which is heavier?
B: ______________________________
____
(than / is / the kiwi / heavier / The apple / .)

4 주

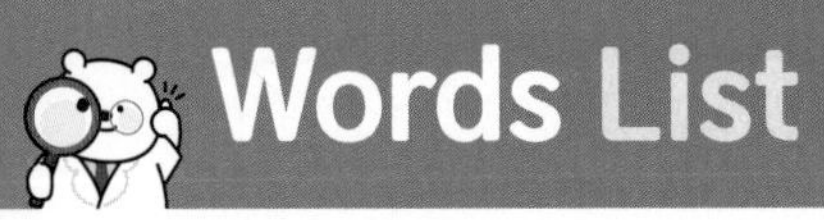

단어나 어구를 읽은 후 뜻을 기억하고 있는 것에 ✓표 해 보세요.

1주 1일

India ☐	Vietnam ☐
Canada ☐	Mexico ☐
Kenya ☐	the U.K. ☐

1주 2일

graduation ☐	birthday party ☐
piano concert ☐	talent show ☐
movie festival ☐	Sports Day ☐

1주 3일

cold ☐	fever ☐
runny nose ☐	headache ☐
toothache ☐	stomachache ☐

1주 4일

get some rest ☐	go to bed early ☐
drink warm water ☐	take some medicine ☐
go and see a doctor ☐	go and see a dentist ☐

1주 5일

easy ☐	difficult ☐
boring ☐	interesting ☐
cheap ☐	expensive ☐

2주 1일

taller ☐	longer ☐
faster ☐	stronger ☐
bigger ☐	heavier ☐

2주 2일

exercise ☐	stay up late ☐
eat fast food ☐	drink soda ☐
wash your hands ☐	brush your teeth ☐

2주 3일

once ☐	twice ☐
three times ☐	four times ☐
five times ☐	six times ☐

2주 4일

always ☐	usually ☐
often ☐	sometimes ☐
hardly ☐	never ☐

2주 5일

fingernail ☐	lighthouse ☐
jellyfish ☐	popcorn ☐

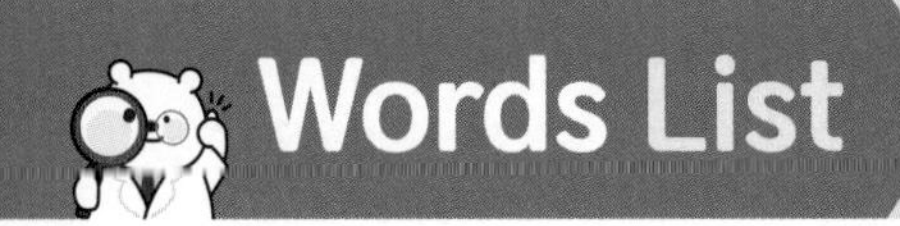

3주 1일

got a new watch ☐	won the soccer game ☐
lost my dog ☐	moved to another city ☐
ate my cookies ☐	broke my robot ☐

3주 2일

wear your helmet ☐	wear your seatbelt ☐
stop at the red light ☐	look left and right ☐
use the crosswalk ☐	stay behind the line ☐

3주 3일

save energy ☐	plant trees ☐
recycle paper ☐	reuse plastic bottles ☐
turn off the water ☐	turn off the lights ☐

3주 4일

use a cup ☐	use the stairs ☐
ride a bicycle ☐	clean the park ☐
pick up the trash ☐	take a short shower ☐

3주 5일

turn on the TV ☐	turn on the phone ☐
turn off the TV ☐	turn off the phone ☐
put on your cap ☐	put on your socks ☐
take off your cap ☐	take off your socks ☐

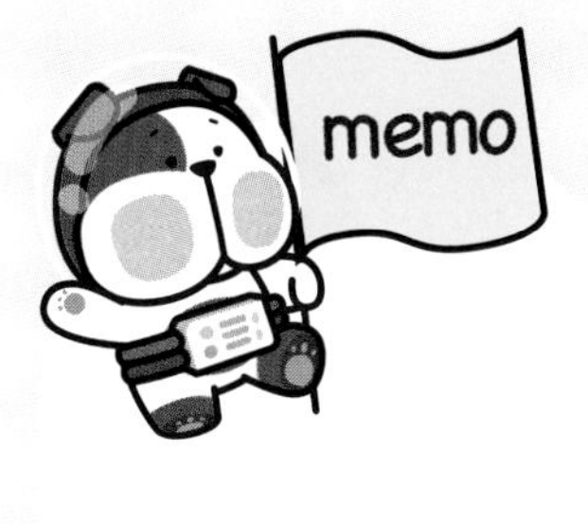
memo

memo

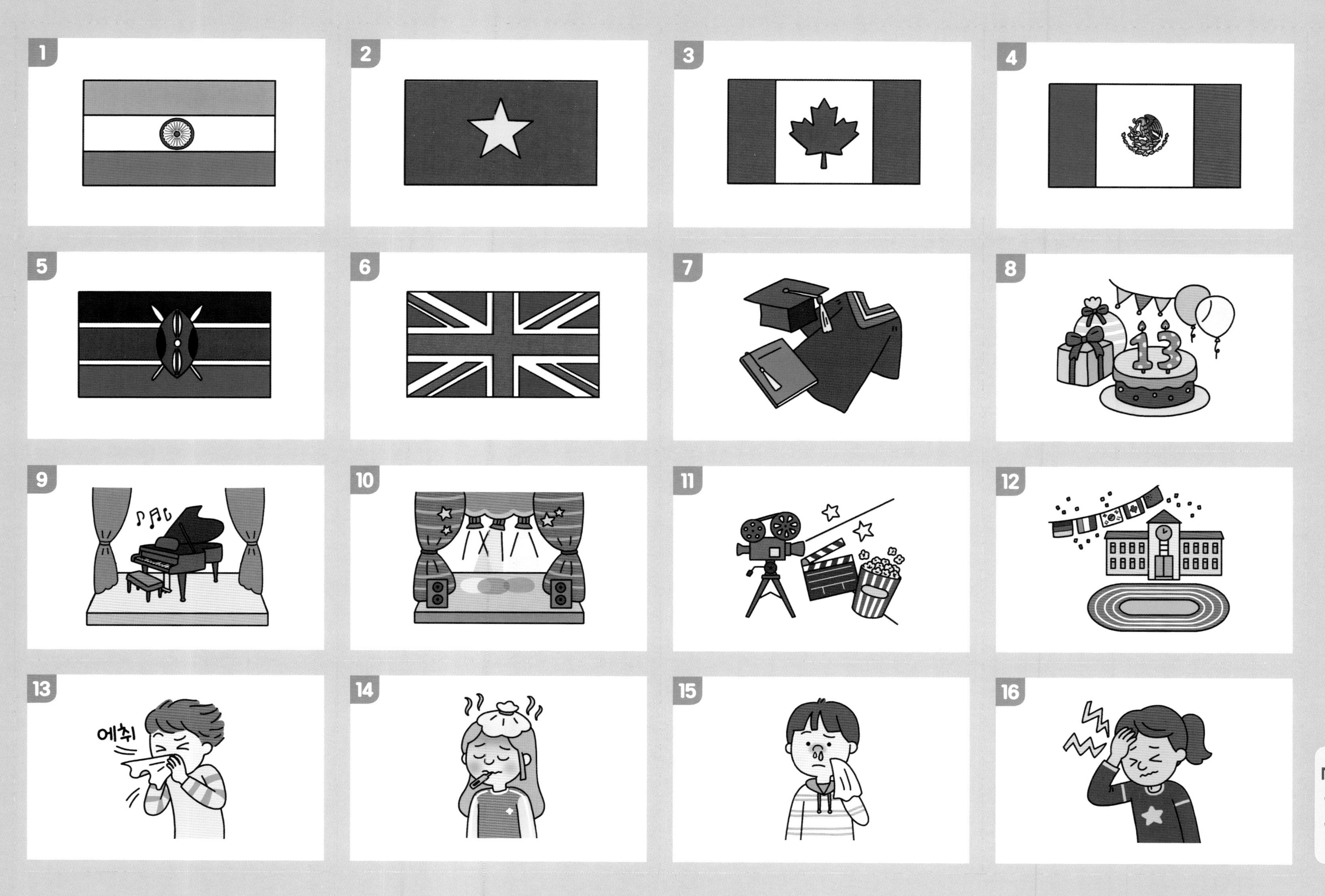
1
2
3
4
5
6
7
8
9
10
11
12
13
에취
14
15
16

Mexico	Canada	Vietnam	India
birthday party	graduation	the U.K.	Kenya
Sports Day	movie festival	talent show	piano concert
headache	runny nose	fever	cold

17
18
19
20
21
22
23
24
25
42 ÷ 7 =
6
26
$\frac{14}{2\times5^2\times7}$ =
27
28
29
₩2,000
30
₩50,000
31
32

go to bed early

get some rest

stomachache

toothache

go and see a dentist

go and see a doctor

take some medicine

drink warm water

interesting

boring

difficult

easy

longer

taller

expensive

cheap

33
34
35
36
37
38
39
40
41
42
43
44
45
46
47
48

heavier	bigger	stronger	faster
drink soda	eat fast food	stay up late	exercise
twice	once	brush your teeth	wash your hands
six times	five times	four times	three times

49
100%
50
90%
51
70%
52
50%
53
5%
54
0%
55
56
57
58
59
60
7
61
LOST DOG
62
63
64

sometimes	often	usually	always
lighthouse	fingernail	never	hardly
won the soccer game	got a new watch	popcorn	jellyfish
broke my robot	ate my cookies	moved to another city	lost my dog

68
72
76
80
67
71
OFF
75
79
66
70
74
78
65
69
73
77

look left and right	stop at the red light	wear your seatbelt	wear your helmet
plant trees	save energy	stay behind the line	use the crosswalk
turn off the lights	turn off the water	reuse plastic bottles	recycle paper
clean the park	ride a bicycle	use the stairs	use a cup

81
82
10분
83
ON
84
ON
85
OFF
86
OFF
87
88
89
90

turn on the phone

turn on the TV

take a short shower

pick up the trash

put on your socks

put on your cap

turn off the phone

turn off the TV

take off your socks

take off your cap

힘이 되는
좋은 말

영어 알파벳 중에서 가장 위대한 세 철자는
N, O, W
곧 지금(NOW)이다.

The three greatest English alphabets are N, O, W,
which means now.

월터 스콧

언젠가는 해야지, 언젠가는 달라질 거야!
'언젠가는'이라는 말에 자신의 미래를 맡기지 마세요.
해야 할 일, 하고 싶은 일은 지금 당장 실행에 옮기세요.
가장 중요한 건 과거도 미래도 아닌 바로 지금이니까요.

쉽다!

10분이면 하루치 공부를 마칠 수 있는 커리큘럼으로,
아이들이 초등 학습에 쉽고 재미있게 접근할 수 있도록 구성하였습니다.

재미있다!

교과서는 물론 생활 속에서 쉽게 접할 수 있는 다양한 소재와
재미있는 게임 형식의 문제로 흥미로운 학습이 가능합니다.

똑똑하다!

초등학생에게 꼭 필요한 학습 지식 습득은 물론
창의력 확장까지 가능한 교재로 올바른 공부습관을 가지는 데 도움을 줍니다.

매일매일
쌓이는
영어 기초력

똑 똑 한

하루 VOCA

정답

6학년 영어

4B

천재교육

book.chunjae.co.kr

1주 1일

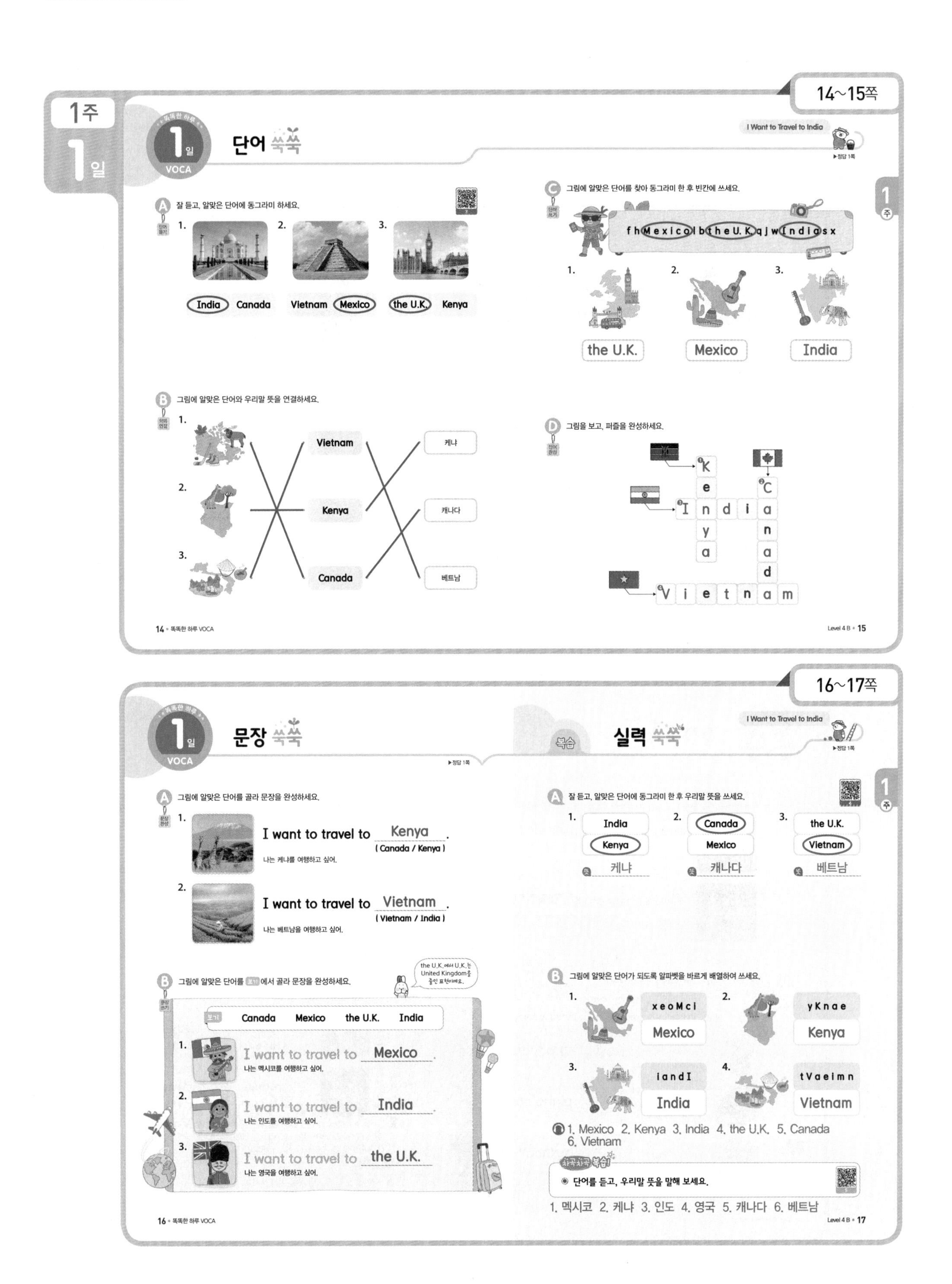

14~15쪽

1일 VOCA 단어 쑥쑥

I Want to Travel to India

▶정답 1쪽

A 잘 듣고, 알맞은 단어에 동그라미 하세요.

1. (India) Canada 2. Vietnam (Mexico) 3. (the U.K.) Kenya

B 그림에 알맞은 단어와 우리말 뜻을 연결하세요.

1. Vietnam 케냐
2. Kenya 캐나다
3. Canada 베트남

C 그림에 알맞은 단어를 찾아 동그라미 한 후 빈칸에 쓰세요.

f h (M e x i c o) l b (t h e U. K.) q j w (I n d i a) s x

1. the U.K. 2. Mexico 3. India

D 그림을 보고, 퍼즐을 완성하세요.

❶ Kenya ❷ Canada ❸ India ❹ Vietnam

14 • 똑똑한 하루 VOCA Level 4 B • 15

16~17쪽

1일 VOCA 문장 쑥쑥

▶정답 1쪽

A 그림에 알맞은 단어를 골라 문장을 완성하세요.

1. I want to travel to Kenya. (Canada / Kenya)
나는 케냐를 여행하고 싶어.

2. I want to travel to Vietnam. (Vietnam / India)
나는 베트남을 여행하고 싶어.

B 그림에 알맞은 단어를 보기에서 골라 문장을 완성하세요.

the U.K. 대신 U.K.는 United Kingdom을 줄인 표현이에요.

보기 Canada Mexico the U.K. India

1. I want to travel to Mexico.
나는 멕시코를 여행하고 싶어.

2. I want to travel to India.
나는 인도를 여행하고 싶어.

3. I want to travel to the U.K.
나는 영국을 여행하고 싶어.

16 • 똑똑한 하루 VOCA

복습 실력 쑥쑥

I Want to Travel to India

▶정답 1쪽

A 잘 듣고, 알맞은 단어에 동그라미 한 후 우리말 뜻을 쓰세요.

1. India (Kenya) 뜻 케냐
2. (Canada) Mexico 뜻 캐나다
3. the U.K. (Vietnam) 뜻 베트남

B 그림에 알맞은 단어가 되도록 알파벳을 바르게 배열하여 쓰세요.

1. x e o M c i → Mexico
2. y K n a e → Kenya
3. i a n d I → India
4. t V a e i m n → Vietnam

1. Mexico 2. Kenya 3. India 4. the U.K. 5. Canada 6. Vietnam

차곡차곡 복습!

◉ 단어를 듣고, 우리말 뜻을 말해 보세요.

1. 멕시코 2. 케냐 3. 인도 4. 영국 5. 캐나다 6. 베트남

Level 4 B • 17

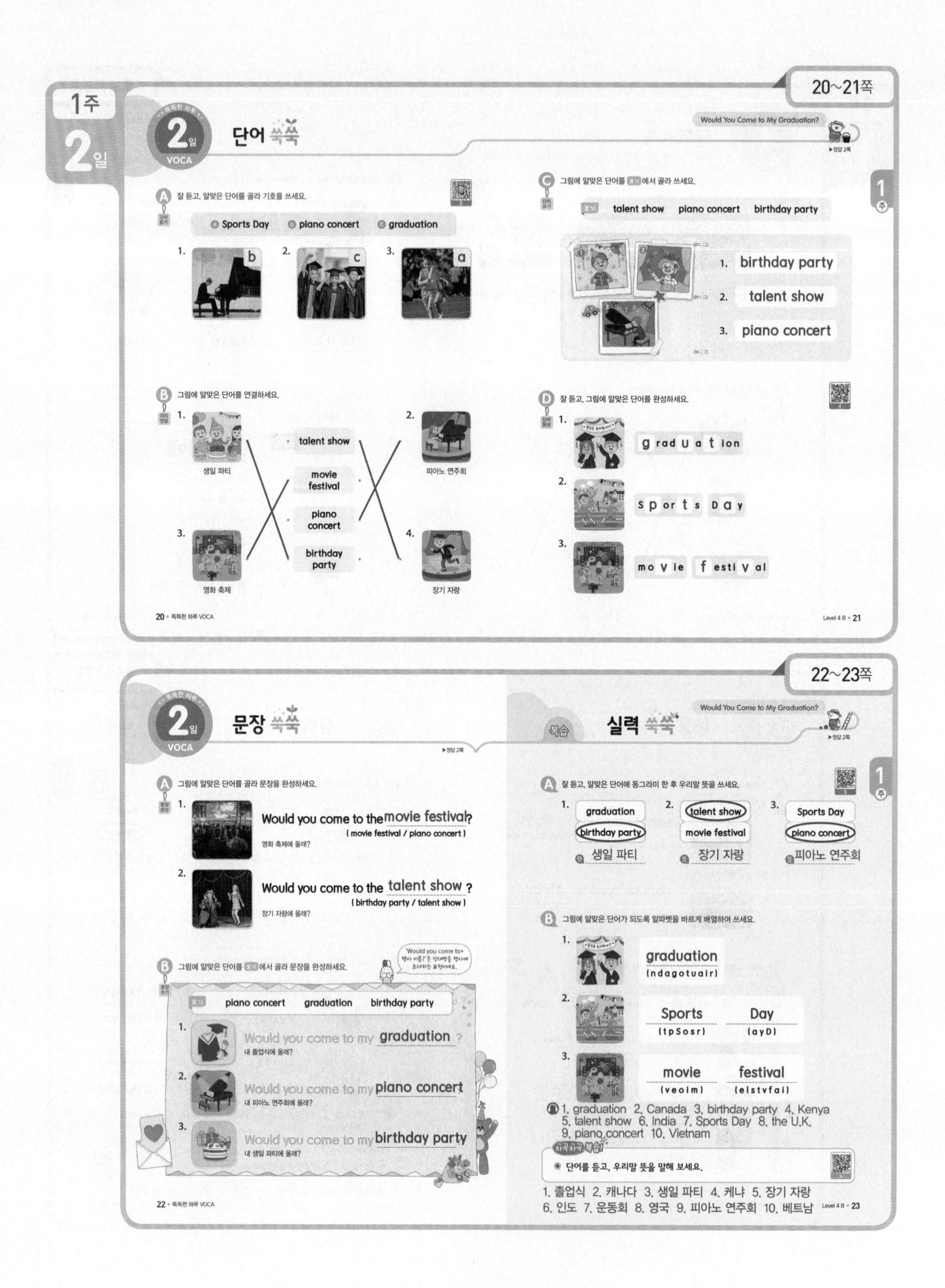
1주 2일
20~21쪽
2일 VOCA 단어 쑥쑥
Would You Come to My Graduation?
A 잘 듣고, 알맞은 단어를 골라 기호를 쓰세요.
ⓐ Sports Day ⓑ piano concert ⓒ graduation
1. b 2. c 3. a
B 그림에 알맞은 단어를 연결하세요.
1. 생일 파티 2. 피아노 연주회 3. 영화 축제 4. 장기 자랑
talent show
movie festival
piano concert
birthday party
C 그림에 알맞은 단어를 보기에서 골라 쓰세요.
보기 talent show piano concert birthday party
1. birthday party
2. talent show
3. piano concert
D 잘 듣고, 그림에 알맞은 단어를 완성하세요.
1. g rad u a t ion
2. S p or t s D a y
3. mo v ie f esti v al
20 • 똑똑한 하루 VOCA
Level 4 B • 21
22~23쪽
2일 VOCA 문장 쑥쑥
A 그림에 알맞은 단어를 골라 문장을 완성하세요.
1. Would you come to the movie festival? (movie festival / piano concert) 영화 축제에 올래?
2. Would you come to the talent show? (birthday party / talent show) 장기 자랑에 올래?
B 그림에 알맞은 단어를 보기에서 골라 문장을 완성하세요.
'Would you come to+행사 이름?'은 상대방을 행사에 초대하는 표현이에요.
보기 piano concert graduation birthday party
1. Would you come to my graduation? 내 졸업식에 올래?
2. Would you come to my piano concert? 내 피아노 연주회에 올래?
3. Would you come to my birthday party? 내 생일 파티에 올래?
22 • 똑똑한 하루 VOCA
복습 실력 쑥쑥
A 잘 듣고, 알맞은 단어에 동그라미 한 후 우리말 뜻을 쓰세요.
1. graduation / birthday party — 생일 파티
2. talent show / movie festival — 장기 자랑
3. Sports Day / piano concert — 피아노 연주회
B 그림에 알맞은 단어가 되도록 알파벳을 바르게 배열하여 쓰세요.
1. graduation (ndagotuair)
2. Sports (tpSosr) Day (ayD)
3. movie (veoim) festival (elstvfai)
1. graduation 2. Canada 3. birthday party 4. Kenya 5. talent show 6. India 7. Sports Day 8. the U.K. 9. piano concert 10. Vietnam
차곡차곡 복습
단어를 듣고, 우리말 뜻을 말해 보세요.
1. 졸업식 2. 캐나다 3. 생일 파티 4. 케냐 5. 장기 자랑 6. 인도 7. 운동회 8. 영국 9. 피아노 연주회 10. 베트남
Level 4 B • 23

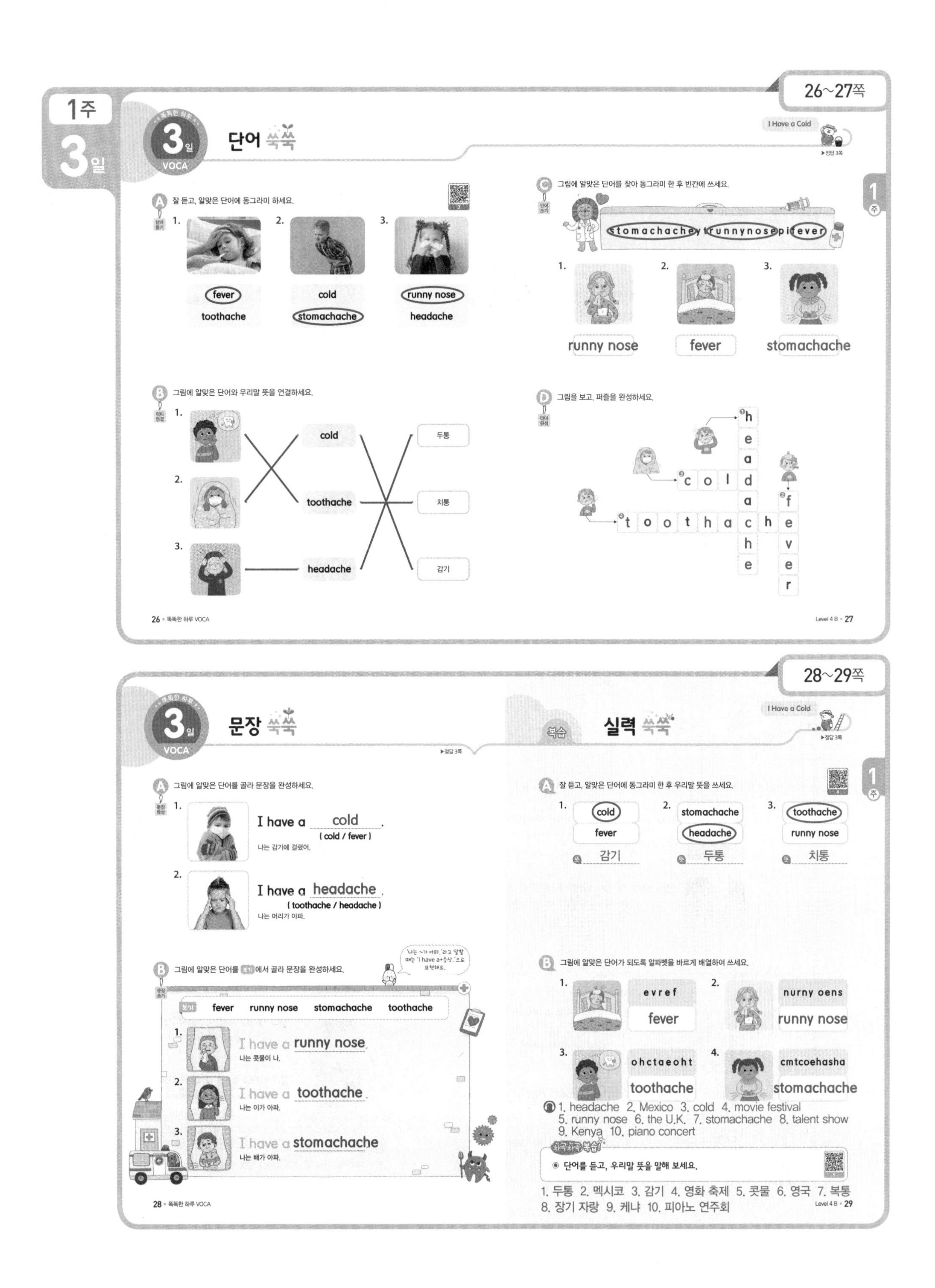

1주 3일

26~27쪽

3일 VOCA 단어 쑥쑥

I Have a Cold

▶정답 3쪽

A 잘 듣고, 알맞은 단어에 동그라미 하세요.

1. (fever) / toothache
2. cold / (stomachache)
3. (runny nose) / headache

B 그림에 알맞은 단어와 우리말 뜻을 연결하세요.

1. toothache – 치통
2. cold – 감기
3. headache – 두통

C 그림에 알맞은 단어를 찾아 동그라미 한 후 빈칸에 쓰세요.

(stomachache)y(runnynose)pi(fever)

1. runny nose
2. fever
3. stomachache

D 그림을 보고, 퍼즐을 완성하세요.

1. headache
2. cold
3. toothache
4. fever

26 • 똑똑한 하루 VOCA

Level 4 B • 27

28~29쪽

3일 VOCA 문장 쑥쑥

▶정답 3쪽

A 그림에 알맞은 단어를 골라 문장을 완성하세요.

1. I have a cold. (cold / fever) 나는 감기에 걸렸어.
2. I have a headache. (toothache / headache) 나는 머리가 아파.

B 그림에 알맞은 단어를 보기에서 골라 문장을 완성하세요.

'나는 ~가 아파.'라고 말할 때는 'I have a+증상.'으로 표현해요.

보기 fever runny nose stomachache toothache

1. I have a runny nose. 나는 콧물이 나.
2. I have a toothache. 나는 이가 아파.
3. I have a stomachache. 나는 배가 아파.

28 • 똑똑한 하루 VOCA

복습 실력 쑥쑥

I Have a Cold

▶정답 3쪽

A 잘 듣고, 알맞은 단어에 동그라미 한 후 우리말 뜻을 쓰세요.

1. (cold) / fever – 감기
2. stomachache / (headache) – 두통
3. (toothache) / runny nose – 치통

B 그림에 알맞은 단어가 되도록 알파벳을 바르게 배열하여 쓰세요.

1. evref – fever
2. nurny oens – runny nose
3. ohctaeoht – toothache
4. cmtcoehasha – stomachache

1. headache 2. Mexico 3. cold 4. movie festival 5. runny nose 6. the U.K. 7. stomachache 8. talent show 9. Kenya 10. piano concert

차곡차곡 복습!

◉ 단어를 듣고, 우리말 뜻을 말해 보세요.

1. 두통 2. 멕시코 3. 감기 4. 영화 축제 5. 콧물 6. 영국 7. 복통 8. 장기 자랑 9. 케냐 10. 피아노 연주회

Level 4 B • 29

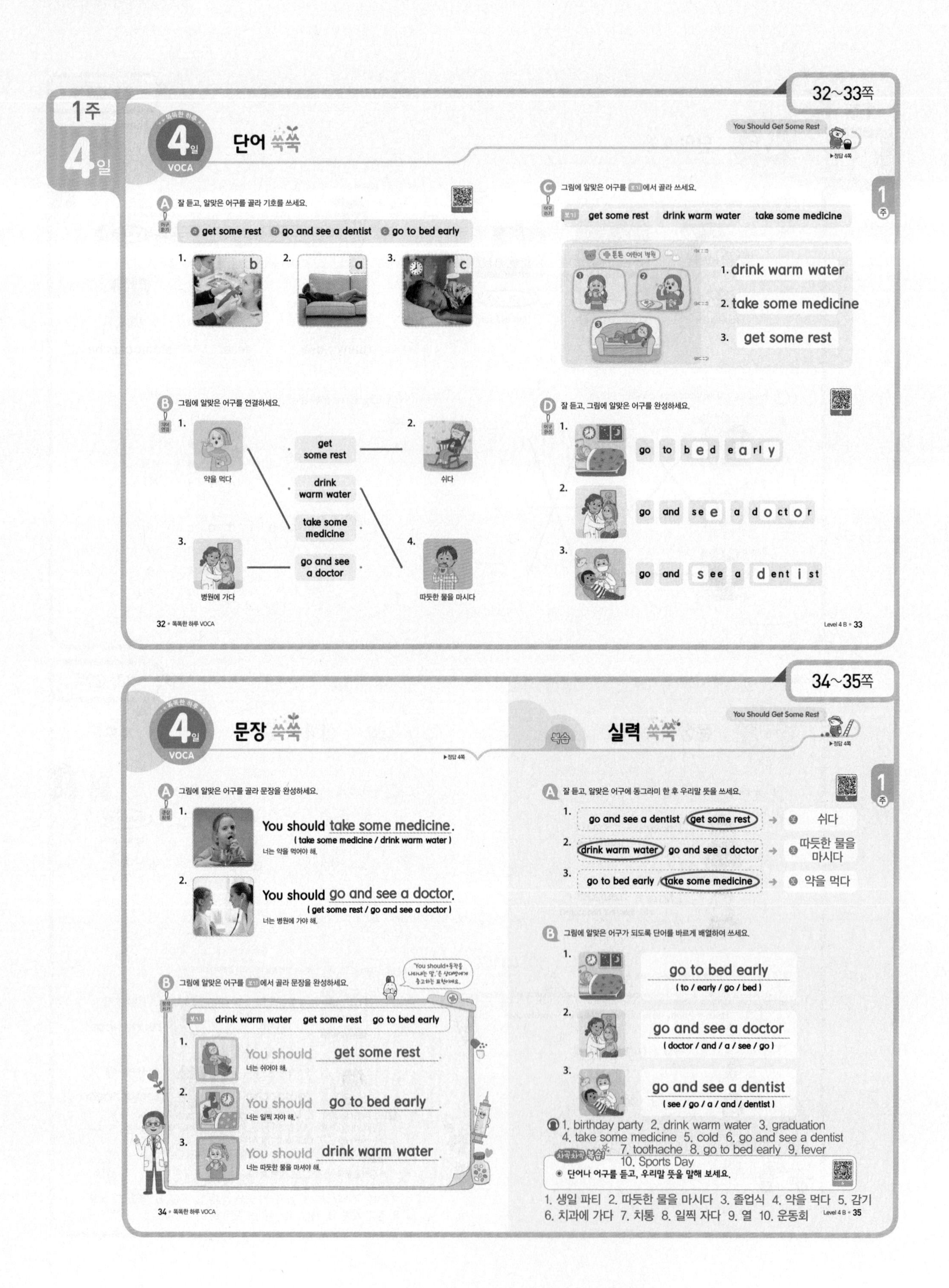

32~33쪽

1주 4일

4일 VOCA 단어 쑥쑥

You Should Get Some Rest

▶정답 4쪽

A 잘 듣고, 알맞은 어구를 골라 기호를 쓰세요.

ⓐ get some rest ⓑ go and see a dentist ⓒ go to bed early

1. b 2. a 3. c

B 그림에 알맞은 어구를 연결하세요.

1. 약을 먹다 — take some medicine
2. 쉬다 — get some rest
3. 병원에 가다 — go and see a doctor
4. 따뜻한 물을 마시다 — drink warm water

C 그림에 알맞은 어구를 보기에서 골라 쓰세요.

보기 get some rest drink warm water take some medicine

튼튼 어린이 병원

1. drink warm water
2. take some medicine
3. get some rest

D 잘 듣고, 그림에 알맞은 어구를 완성하세요.

1. go to bed early
2. go and see a doctor
3. go and see a dentist

32 • 똑똑한 하루 VOCA

Level 4 B • 33

34~35쪽

4일 VOCA 문장 쑥쑥

▶정답 4쪽

A 그림에 알맞은 어구를 골라 문장을 완성하세요.

1. You should take some medicine.
(take some medicine / drink warm water)
너는 약을 먹어야 해.

2. You should go and see a doctor.
(get some rest / go and see a doctor)
너는 병원에 가야 해.

B 그림에 알맞은 어구를 보기에서 골라 문장을 완성하세요.

'You should+동작을 나타내는 말.'은 상대방에게 충고하는 표현이에요.

보기 drink warm water get some rest go to bed early

1. You should get some rest.
너는 쉬어야 해.

2. You should go to bed early.
너는 일찍 자야 해.

3. You should drink warm water.
너는 따뜻한 물을 마셔야 해.

34 • 똑똑한 하루 VOCA

복습 실력 쑥쑥

You Should Get Some Rest

▶정답 4쪽

A 잘 듣고, 알맞은 어구에 동그라미 한 후 우리말 뜻을 쓰세요.

1. go and see a dentist (get some rest) → 쉬다
2. (drink warm water) go and see a doctor → 따뜻한 물을 마시다
3. go to bed early (take some medicine) → 약을 먹다

B 그림에 알맞은 어구가 되도록 단어를 바르게 배열하여 쓰세요.

1. go to bed early
(to / early / go / bed)

2. go and see a doctor
(doctor / and / a / see / go)

3. go and see a dentist
(see / go / a / and / dentist)

1. birthday party 2. drink warm water 3. graduation
4. take some medicine 5. cold 6. go and see a dentist
7. toothache 8. go to bed early 9. fever
10. Sports Day

차곡차곡 복습

● 단어나 어구를 듣고, 우리말 뜻을 말해 보세요.

1. 생일 파티 2. 따뜻한 물을 마시다 3. 졸업식 4. 약을 먹다 5. 감기
6. 치과에 가다 7. 치통 8. 일찍 자다 9. 열 10. 운동회

Level 4 B • 35

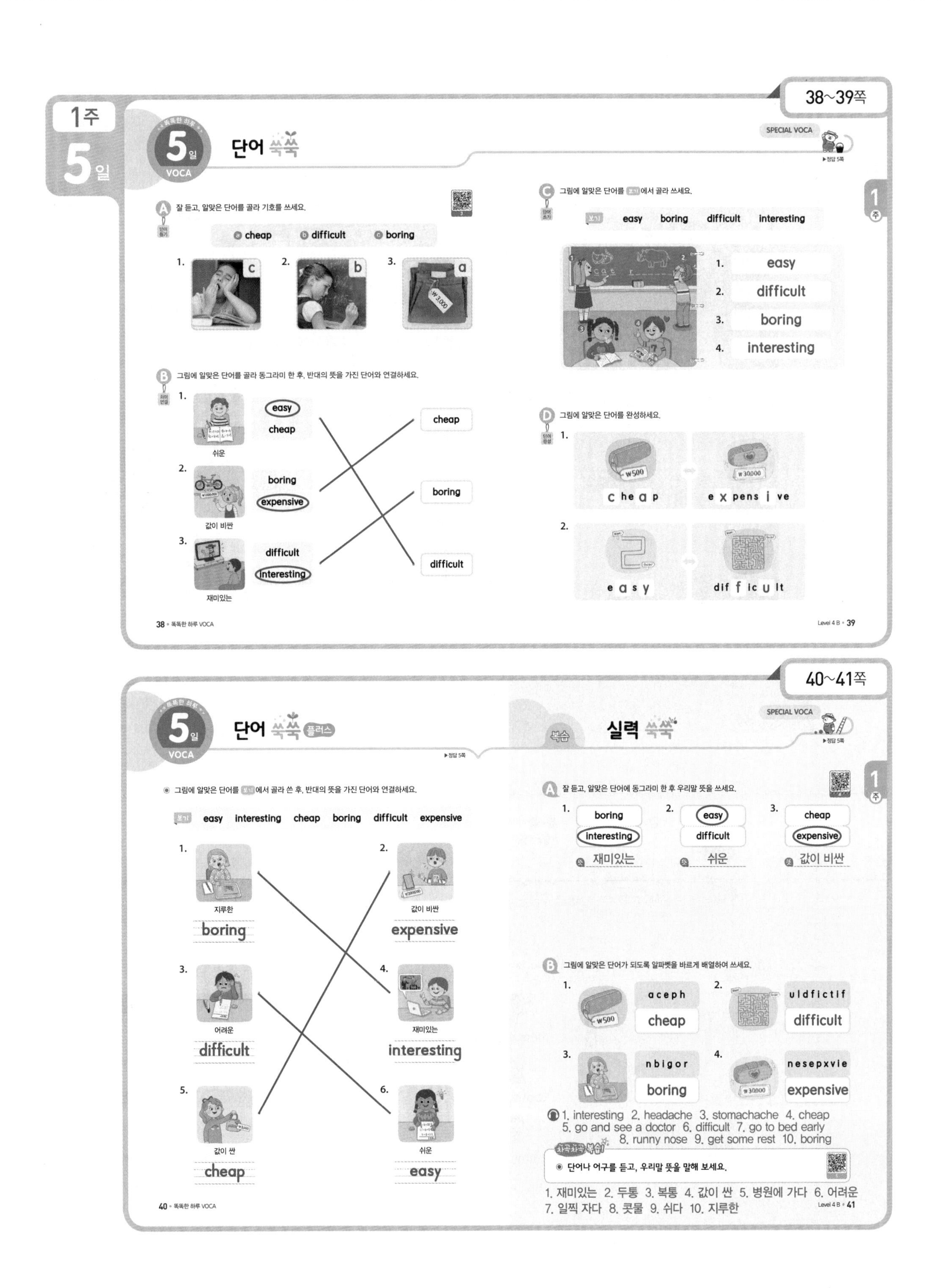
1주 5일
38~39쪽
5일 VOCA 단어 쑥쑥
SPECIAL VOCA
A 잘 듣고, 알맞은 단어를 골라 기호를 쓰세요.
ⓐ cheap ⓑ difficult ⓒ boring
1. c 2. b 3. a
B 그림에 알맞은 단어를 골라 동그라미 한 후, 반대의 뜻을 가진 단어와 연결하세요.
1. easy cheap 쉬운
2. boring expensive 값이 비싼
3. difficult interesting 재미있는
cheap
boring
difficult
C 그림에 알맞은 단어를 보기에서 골라 쓰세요.
보기 easy boring difficult interesting
1. easy
2. difficult
3. boring
4. interesting
D 그림에 알맞은 단어를 완성하세요.
1. cheap expensive
2. easy difficult
38 똑똑한 하루 VOCA
Level 4 B 39
40~41쪽
5일 VOCA 단어 쑥쑥 플러스
그림에 알맞은 단어를 보기에서 골라 쓴 후, 반대의 뜻을 가진 단어와 연결하세요.
보기 easy interesting cheap boring difficult expensive
1. 지루한 boring
2. 값이 비싼 expensive
3. 어려운 difficult
4. 재미있는 interesting
5. 값이 싼 cheap
6. 쉬운 easy
복습 실력 쑥쑥
A 잘 듣고, 알맞은 단어에 동그라미 한 후 우리말 뜻을 쓰세요.
1. boring interesting 재미있는
2. easy difficult 쉬운
3. cheap expensive 값이 비싼
B 그림에 알맞은 단어가 되도록 알파벳을 바르게 배열하여 쓰세요.
1. aceph cheap
2. uldfictif difficult
3. nbigor boring
4. nesepxvie expensive
1. interesting 2. headache 3. stomachache 4. cheap 5. go and see a doctor 6. difficult 7. go to bed early 8. runny nose 9. get some rest 10. boring
차곡차곡 복습
단어나 어구를 듣고, 우리말 뜻을 말해 보세요.
1. 재미있는 2. 두통 3. 복통 4. 값이 싼 5. 병원에 가다 6. 어려운 7. 일찍 자다 8. 콧물 9. 쉬다 10. 지루한
40 똑똑한 하루 VOCA
Level 4 B 41

1주
특강

42~43쪽

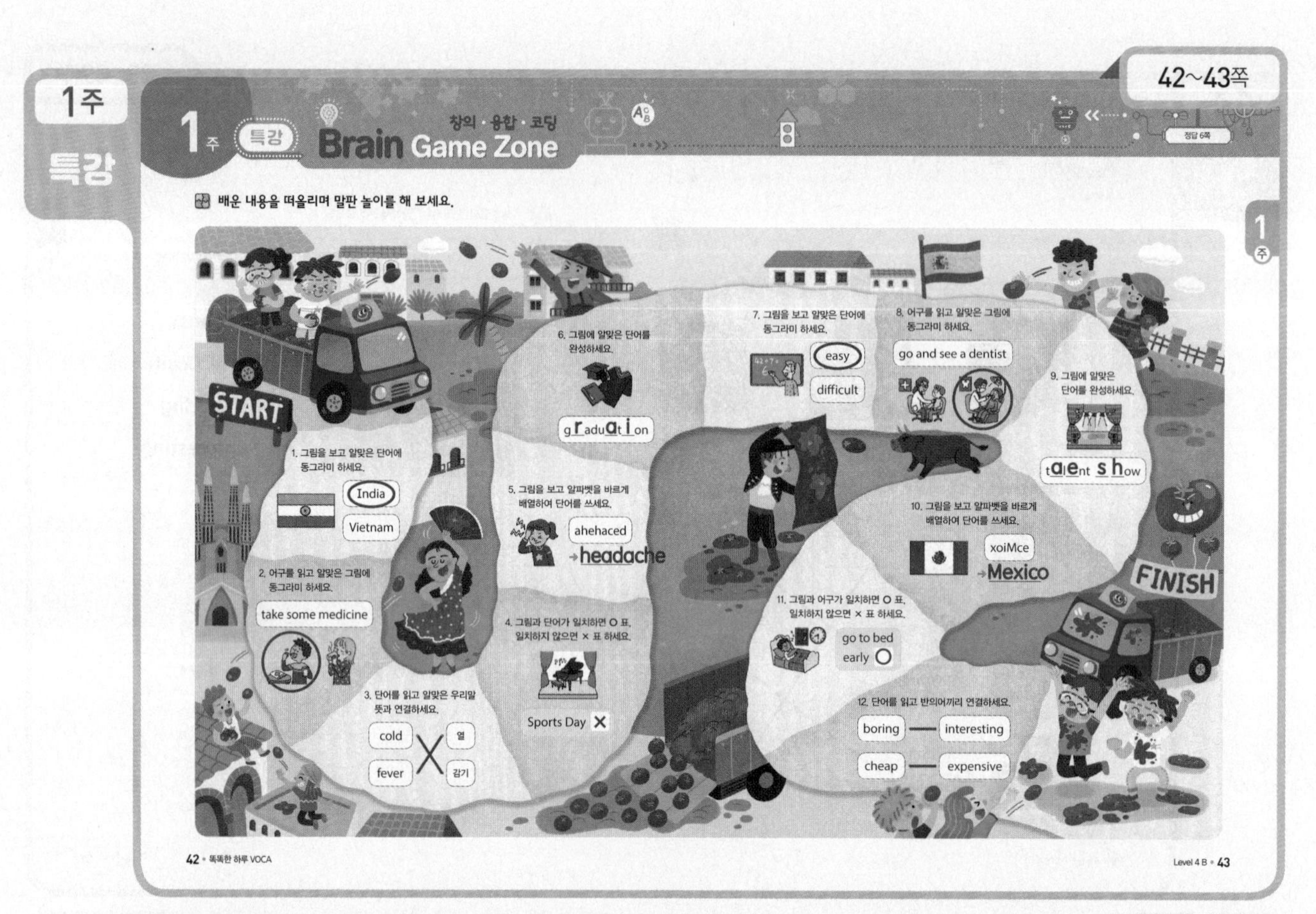

44~45쪽

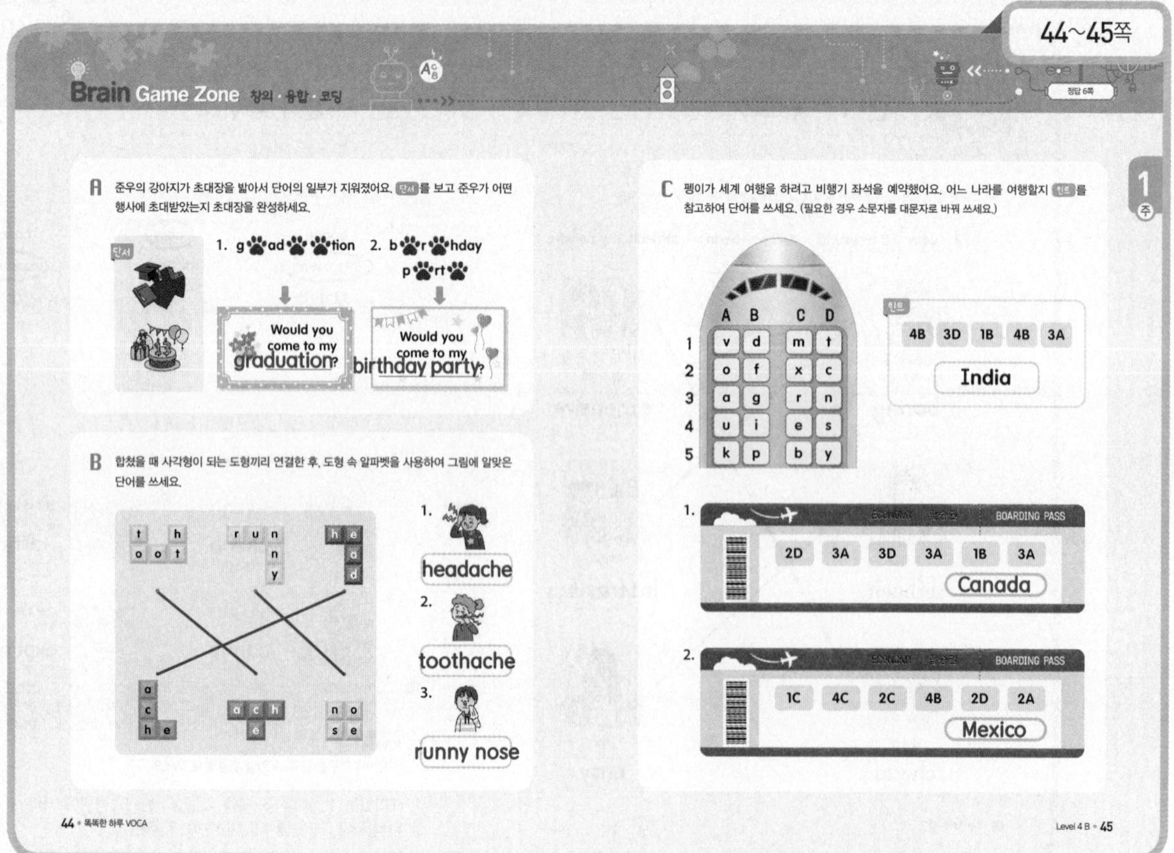

Brain Game Zone 창의 · 융합 · 코딩
A 준우의 강아지가 초대장을 밟아서 단어의 일부가 지워졌어요. 단서를 보고 준우가 어떤 행사에 초대받았는지 초대장을 완성하세요.
1. g ad tion
2. b r hday p rt
Would you come to my graduation?
Would you come to my birthday party?
B 합쳤을 때 사각형이 되는 도형끼리 연결한 후, 도형 속 알파벳을 사용하여 그림에 알맞은 단어를 쓰세요.
1. headache
2. toothache
3. runny nose
C 펭이가 세계 여행을 하려고 비행기 좌석을 예약했어요. 어느 나라를 여행할지 힌트를 참고하여 단어를 쓰세요. (필요한 경우 소문자를 대문자로 바꿔 쓰세요.)
힌트
4B 3D 1B 4B 3A
India
1. BOARDING PASS
2D 3A 3D 3A 1B 3A
Canada
2. BOARDING PASS
1C 4C 2C 4B 2D 2A
Mexico
44 • 똑똑한 하루 VOCA
Level 4 B • 45

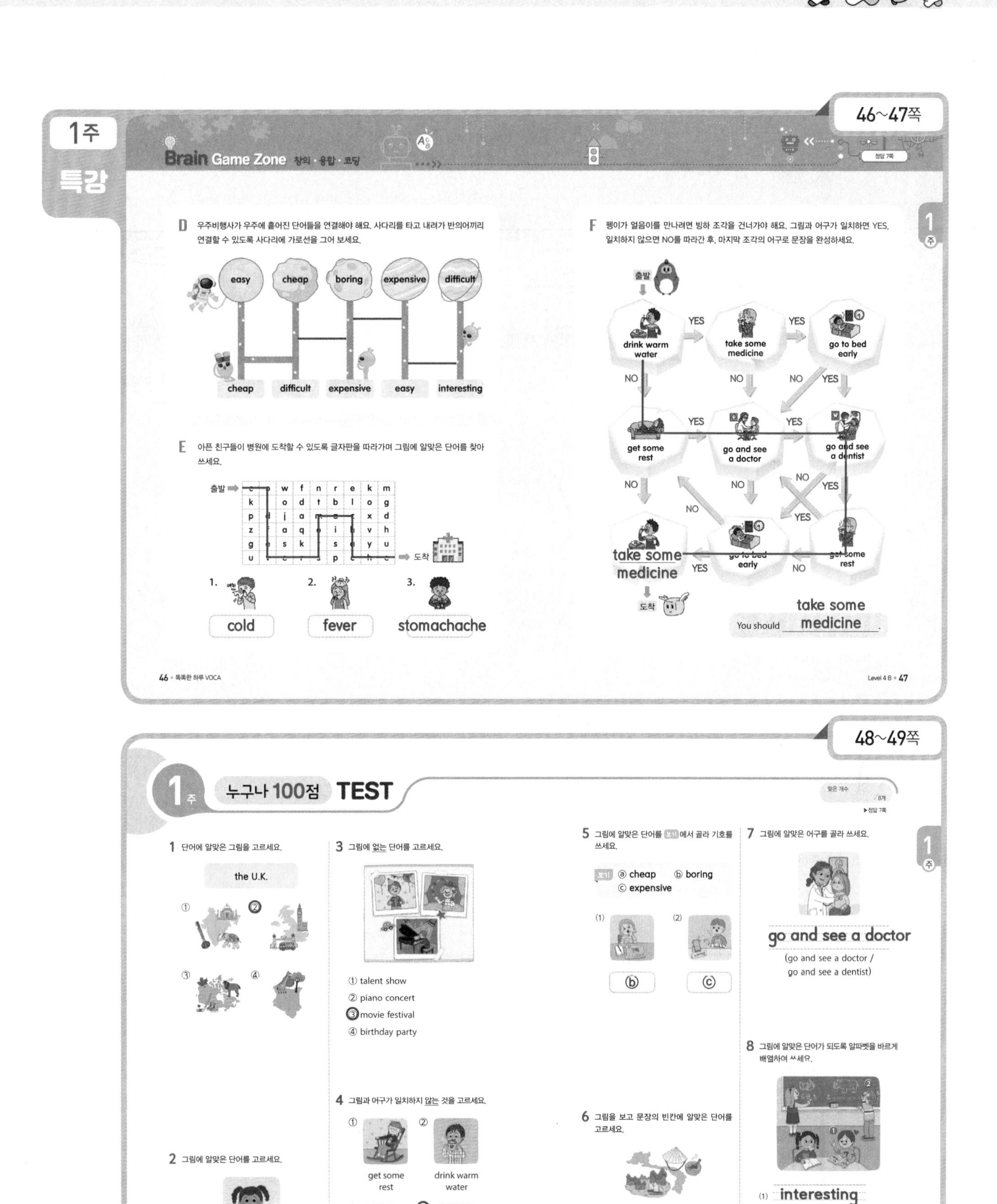

46~47쪽

1주 특강

Brain Game Zone 창의 · 융합 · 코딩

D 우주비행사가 우주에 흩어진 단어들을 연결해야 해요. 사다리를 타고 내려가 반의어끼리 연결할 수 있도록 사다리에 가로선을 그어 보세요.

E 아픈 친구들이 병원에 도착할 수 있도록 글자판을 따라가며 그림에 알맞은 단어를 찾아 쓰세요.

1. cold
2. fever
3. stomachache

F 펭이가 얼음이를 만나려면 빙하 조각을 건너가야 해요. 그림과 어구가 일치하면 YES, 일치하지 않으면 NO를 따라간 후, 마지막 조각의 어구로 문장을 완성하세요.

You should take some medicine.

48~49쪽

1주 누구나 100점 TEST

1 단어에 알맞은 그림을 고르세요.

the U.K.

정답: ②

2 그림에 알맞은 단어를 고르세요.

① stomachache ② fever ③ toothache ④ runny nose

정답: ①

3 그림에 없는 단어를 고르세요.

① talent show ② piano concert ③ movie festival ④ birthday party

정답: ③

4 그림과 어구가 일치하지 않는 것을 고르세요.

① get some rest ② drink warm water ③ go to bed early ④ take some medicine

정답: ④

5 그림에 알맞은 단어를 보기에서 골라 기호를 쓰세요.

보기 ⓐ cheap ⓑ boring ⓒ expensive

(1) ⓑ (2) ⓒ

6 그림을 보고 문장의 빈칸에 알맞은 단어를 고르세요.

I want to travel to ______.

① Mexico ② India ③ Vietnam ④ Kenya

정답: ③

7 그림에 알맞은 어구를 골라 쓰세요.

go and see a doctor

(go and see a doctor / go and see a dentist)

8 그림에 알맞은 단어가 되도록 알파벳을 바르게 배열하여 쓰세요.

(1) interesting (n e i t r s t n g i e)

(2) difficult (f d u i c i t f l)

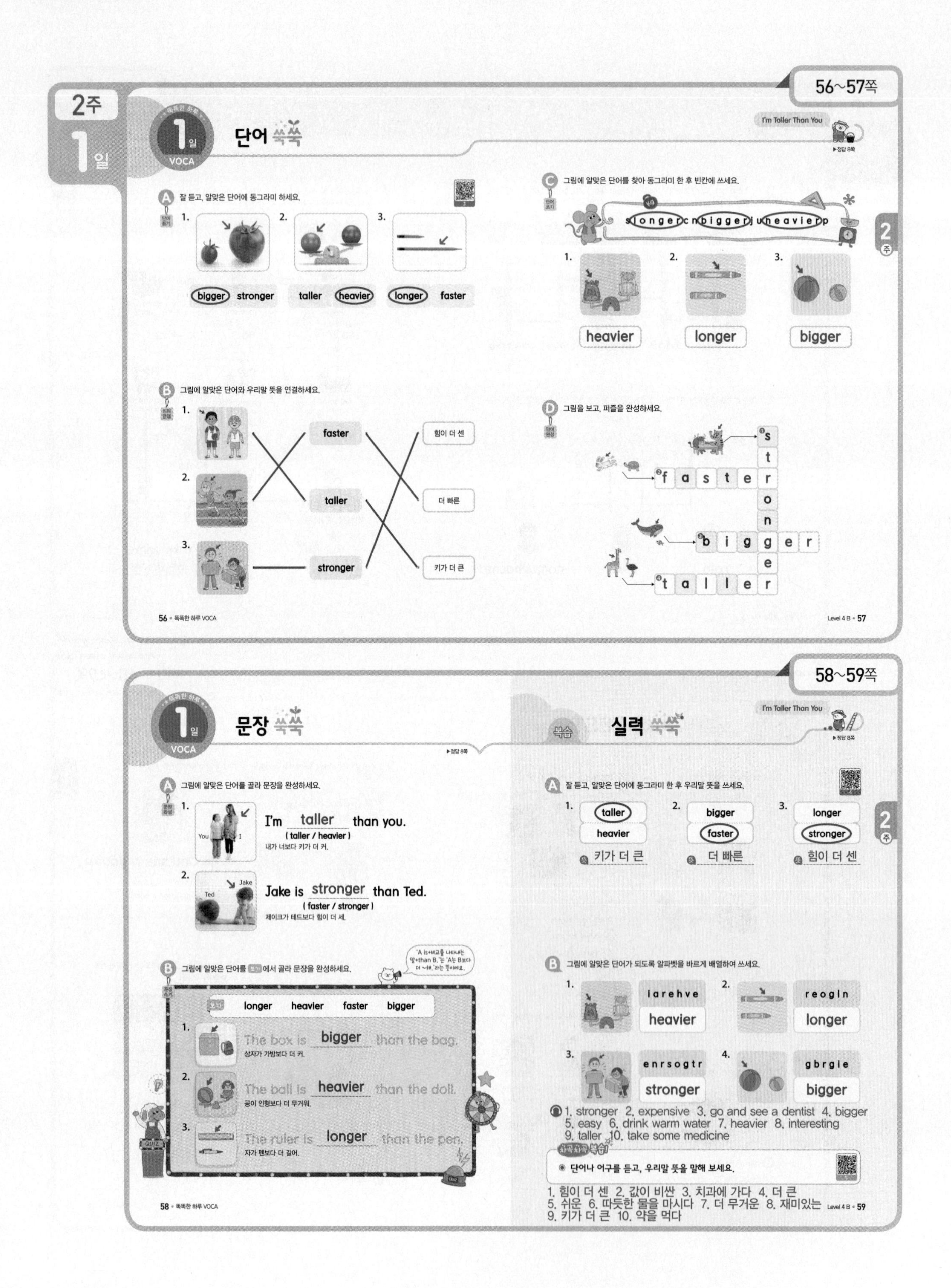

56~57쪽

2주 1일

1일 VOCA 단어 쑥쑥

I'm Taller Than You

▶정답 8쪽

A 잘 듣고, 알맞은 단어에 동그라미 하세요.

1. (bigger) stronger
2. taller (heavier)
3. (longer) faster

B 그림에 알맞은 단어와 우리말 뜻을 연결하세요.

1. taller – 키가 더 큰
2. faster – 더 빠른
3. stronger – 힘이 더 센

C 그림에 알맞은 단어를 찾아 동그라미 한 후 빈칸에 쓰세요.

s(longer)c n(bigger)j u(heavier)p

1. heavier
2. longer
3. bigger

D 그림을 보고, 퍼즐을 완성하세요.

1. stronger
2. faster
3. bigger
4. taller

56 • 똑똑한 하루 VOCA

Level 4 B • 57

58~59쪽

1일 VOCA 문장 쑥쑥

▶정답 8쪽

A 그림에 알맞은 단어를 골라 문장을 완성하세요.

1. I'm taller than you. (taller / heavier)
내가 너보다 키가 더 커.

2. Jake is stronger than Ted. (faster / stronger)
제이크가 테드보다 힘이 더 세.

B 그림에 알맞은 단어를 보기에서 골라 문장을 완성하세요.

'A is+비교를 나타내는 말+than B.'는 'A는 B보다 더 ~해.'라는 뜻이에요.

보기: longer heavier faster bigger

1. The box is bigger than the bag.
상자가 가방보다 더 커.

2. The ball is heavier than the doll.
공이 인형보다 더 무거워.

3. The ruler is longer than the pen.
자가 펜보다 더 길어.

58 • 똑똑한 하루 VOCA

복습 실력 쑥쑥

I'm Taller Than You

▶정답 8쪽

A 잘 듣고, 알맞은 단어에 동그라미 한 후 우리말 뜻을 쓰세요.

1. (taller) heavier – 키가 더 큰
2. bigger (faster) – 더 빠른
3. longer (stronger) – 힘이 더 센

B 그림에 알맞은 단어가 되도록 알파벳을 바르게 배열하여 쓰세요.

1. larehve – heavier
2. reogln – longer
3. enrsogtr – stronger
4. gbrgie – bigger

1. stronger 2. expensive 3. go and see a dentist 4. bigger 5. easy 6. drink warm water 7. heavier 8. interesting 9. taller 10. take some medicine

차곡차곡 복습

◉ 단어나 어구를 듣고, 우리말 뜻을 말해 보세요.

1. 힘이 더 센 2. 값이 비싼 3. 치과에 가다 4. 더 큰 5. 쉬운 6. 따뜻한 물을 마시다 7. 더 무거운 8. 재미있는 9. 키가 더 큰 10. 약을 먹다

Level 4 B • 59

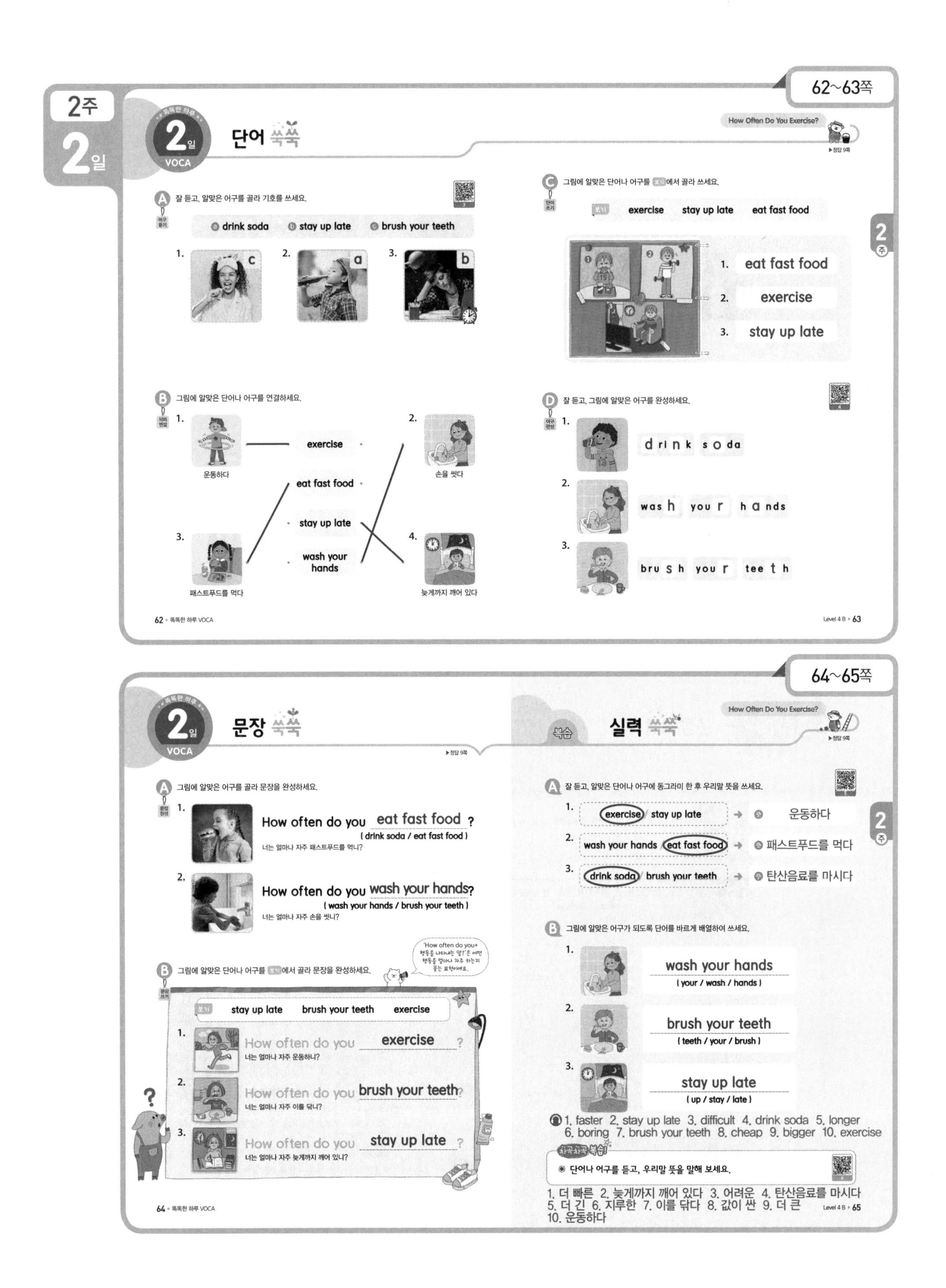

62~63쪽

2주 2일

2일 VOCA 단어 쑥쑥

How Often Do You Exercise?

▶정답 9쪽

A 잘 듣고, 알맞은 어구를 골라 기호를 쓰세요.

ⓐ drink soda ⓑ stay up late ⓒ brush your teeth

1. c 2. a 3. b

B 그림에 알맞은 단어나 어구를 연결하세요.

1. 운동하다 — exercise
2. 손을 씻다 — wash your hands
3. 패스트푸드를 먹다 — eat fast food
4. 늦게까지 깨어 있다 — stay up late

C 그림에 알맞은 단어나 어구를 보기에서 골라 쓰세요.

보기 exercise stay up late eat fast food

1. eat fast food
2. exercise
3. stay up late

D 잘 듣고, 그림에 알맞은 어구를 완성하세요.

1. drink soda
2. wash your hands
3. brush your teeth

62 • 똑똑한 하루 VOCA

Level 4 B • 63

64~65쪽

2일 VOCA 문장 쑥쑥

▶정답 9쪽

A 그림에 알맞은 어구를 골라 문장을 완성하세요.

1. How often do you eat fast food ? (drink soda / eat fast food)
너는 얼마나 자주 패스트푸드를 먹니?

2. How often do you wash your hands? (wash your hands / brush your teeth)
너는 얼마나 자주 손을 씻니?

B 그림에 알맞은 단어나 어구를 보기에서 골라 문장을 완성하세요.

'How often do you+행동을 나타내는 말?'은 어떤 행동을 얼마나 자주 하는지 묻는 표현이에요.

보기 stay up late brush your teeth exercise

1. How often do you exercise ?
너는 얼마나 자주 운동하니?

2. How often do you brush your teeth?
너는 얼마나 자주 이를 닦니?

3. How often do you stay up late ?
너는 얼마나 자주 늦게까지 깨어 있니?

64 • 똑똑한 하루 VOCA

복습 실력 쑥쑥

How Often Do You Exercise?

▶정답 9쪽

A 잘 듣고, 알맞은 단어나 어구에 동그라미 한 후 우리말 뜻을 쓰세요.

1. (exercise) / stay up late → 운동하다
2. wash your hands / (eat fast food) → 패스트푸드를 먹다
3. (drink soda) / brush your teeth → 탄산음료를 마시다

B 그림에 알맞은 어구가 되도록 단어를 바르게 배열하여 쓰세요.

1. wash your hands (your / wash / hands)
2. brush your teeth (teeth / your / brush)
3. stay up late (up / stay / late)

① 1. faster 2. stay up late 3. difficult 4. drink soda 5. longer 6. boring 7. brush your teeth 8. cheap 9. bigger 10. exercise

차곡차곡 복습

◉ 단어나 어구를 듣고, 우리말 뜻을 말해 보세요.

1. 더 빠른 2. 늦게까지 깨어 있다 3. 어려운 4. 탄산음료를 마시다 5. 더 긴 6. 지루한 7. 이를 닦다 8. 값이 싼 9. 더 큰 10. 운동하다

Level 4 B • 65

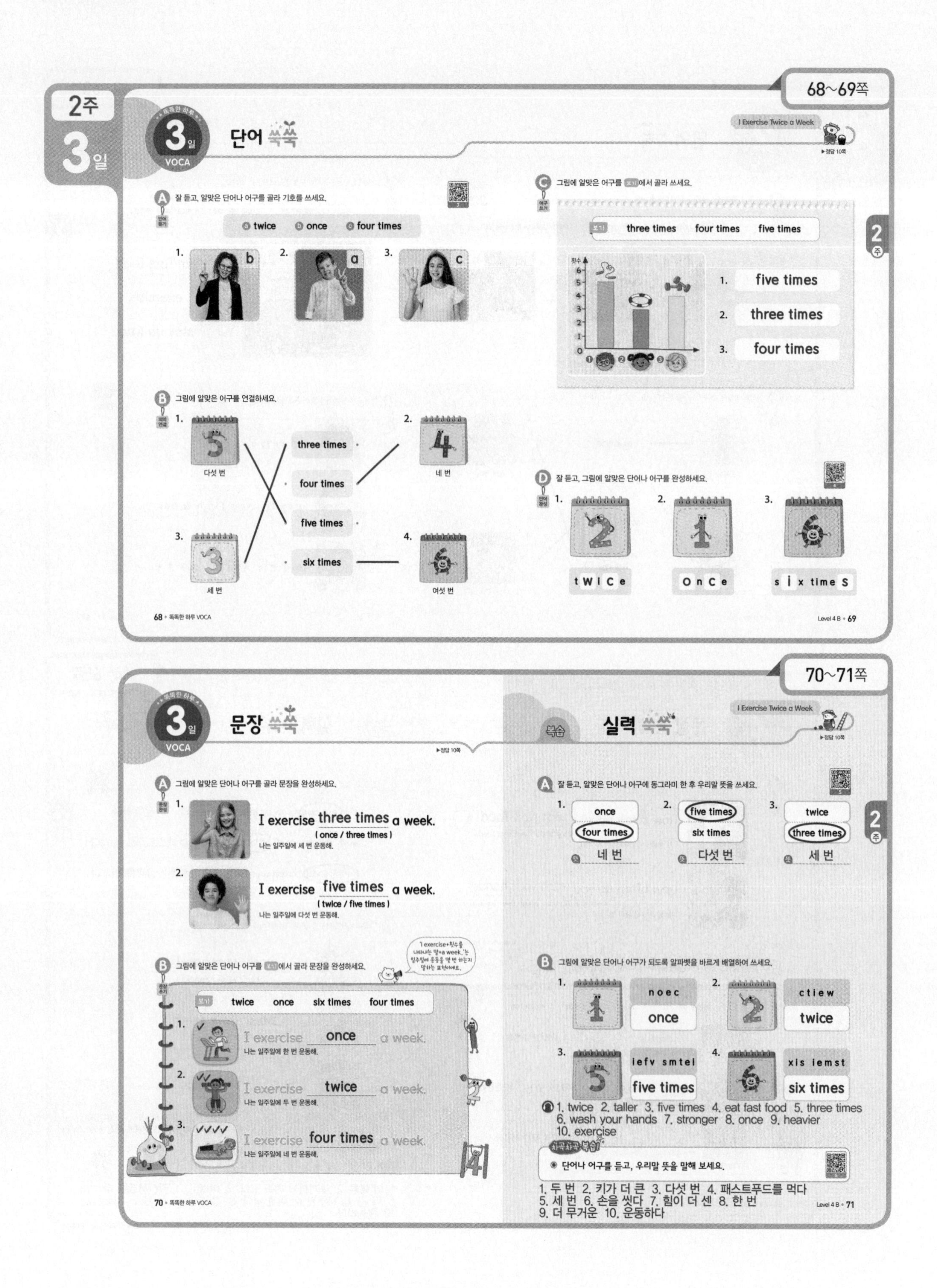
68~69쪽
2주 3일
3일 VOCA 단어 쑥쑥
I Exercise Twice a Week
A 잘 듣고, 알맞은 단어나 어구를 골라 기호를 쓰세요.
ⓐ twice ⓑ once ⓒ four times
1. b 2. a 3. c
B 그림에 알맞은 어구를 연결하세요.
1. 다섯 번 2. 네 번 3. 세 번 4. 여섯 번
three times four times five times six times
C 그림에 알맞은 어구를 보기에서 골라 쓰세요.
보기 three times four times five times
1. five times
2. three times
3. four times
D 잘 듣고, 그림에 알맞은 단어나 어구를 완성하세요.
1. twice 2. once 3. six times
68 • 똑똑한 하루 VOCA
Level 4 B • 69
70~71쪽
3일 VOCA 문장 쑥쑥
A 그림에 알맞은 단어나 어구를 골라 문장을 완성하세요.
1. I exercise three times a week. (once / three times) 나는 일주일에 세 번 운동해.
2. I exercise five times a week. (twice / five times) 나는 일주일에 다섯 번 운동해.
B 그림에 알맞은 단어나 어구를 보기에서 골라 문장을 완성하세요.
보기 twice once six times four times
1. I exercise once a week. 나는 일주일에 한 번 운동해.
2. I exercise twice a week. 나는 일주일에 두 번 운동해.
3. I exercise four times a week. 나는 일주일에 네 번 운동해.
70 • 똑똑한 하루 VOCA
복습 실력 쑥쑥
A 잘 듣고, 알맞은 단어나 어구에 동그라미 한 후 우리말 뜻을 쓰세요.
1. once / four times 네 번
2. five times / six times 다섯 번
3. twice / three times 세 번
B 그림에 알맞은 단어나 어구가 되도록 알파벳을 바르게 배열하여 쓰세요.
1. noec once
2. ctiew twice
3. iefv smtei five times
4. xis iemst six times
1. twice 2. taller 3. five times 4. eat fast food 5. three times 6. wash your hands 7. stronger 8. once 9. heavier 10. exercise
착착착 복습
단어나 어구를 듣고, 우리말 뜻을 말해 보세요.
1. 두 번 2. 키가 더 큰 3. 다섯 번 4. 패스트푸드를 먹다 5. 세 번 6. 손을 씻다 7. 힘이 더 센 8. 한 번 9. 더 무거운 10. 운동하다
Level 4 B • 71

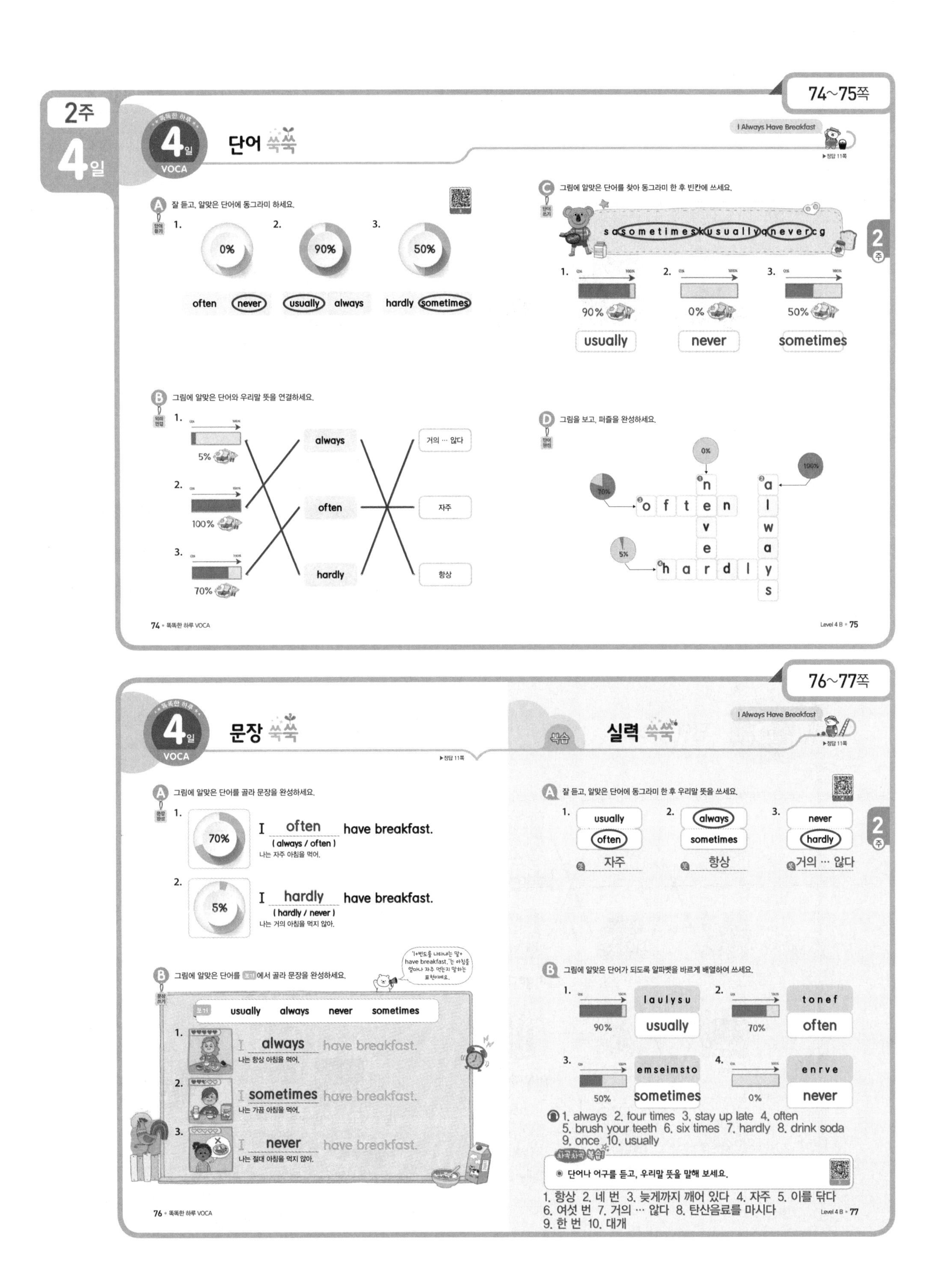

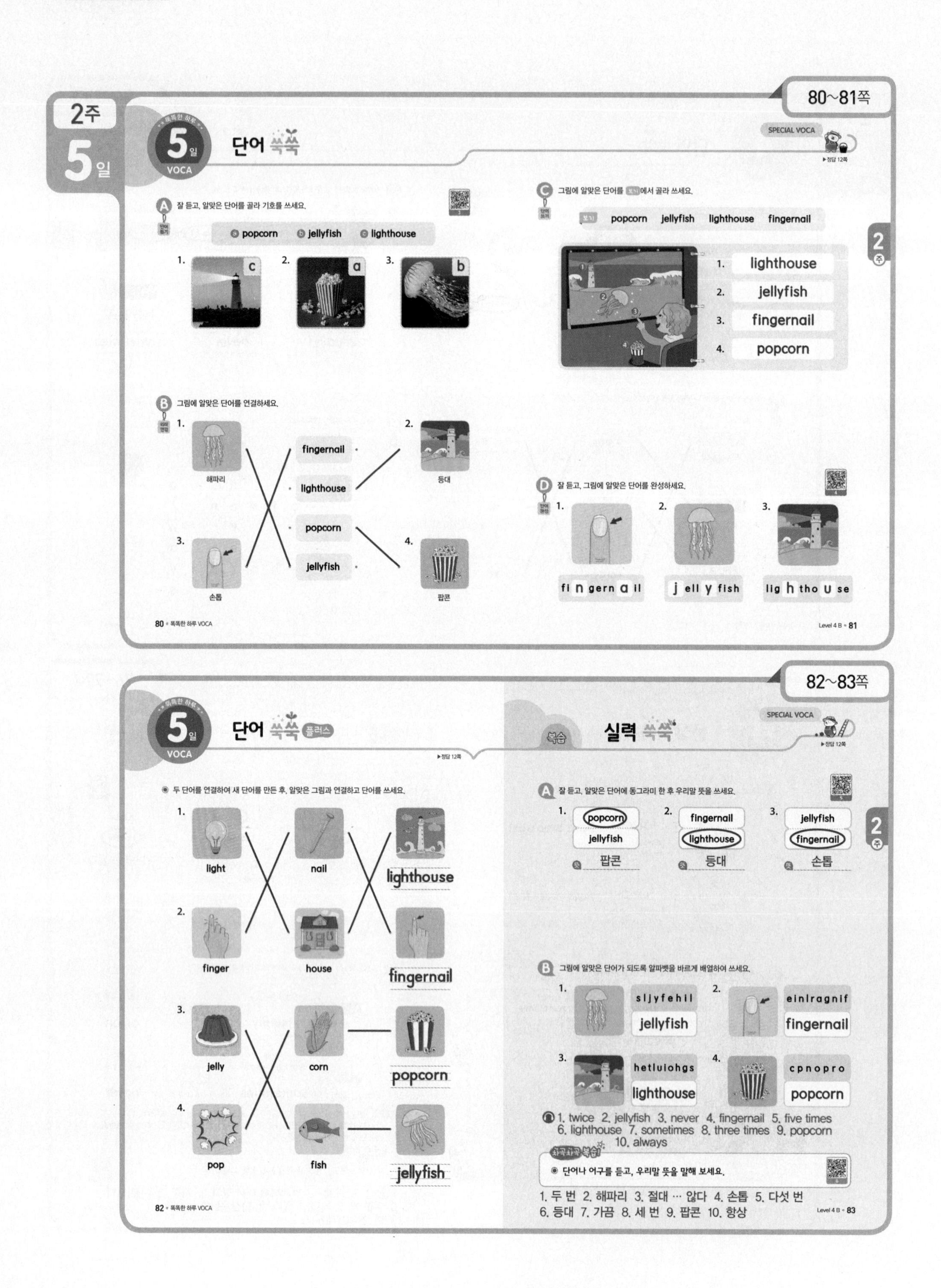

80~81쪽

2주 5일

똑똑한 하루 5일 VOCA

단어 쑥쑥

SPECIAL VOCA ▶정답 12쪽

A 잘 듣고, 알맞은 단어를 골라 기호를 쓰세요.

ⓐ popcorn ⓑ jellyfish ⓒ lighthouse

1. c 2. a 3. b

B 그림에 알맞은 단어를 연결하세요.

fingernail / lighthouse / popcorn / jellyfish

1. 해파리 – jellyfish
2. 등대 – lighthouse
3. 손톱 – fingernail
4. 팝콘 – popcorn

C 그림에 알맞은 단어를 보기에서 골라 쓰세요.

보기 popcorn jellyfish lighthouse fingernail

1. lighthouse
2. jellyfish
3. fingernail
4. popcorn

D 잘 듣고, 그림에 알맞은 단어를 완성하세요.

1. fi n gern a il 2. j ell y fish 3. lig h tho u se

80 • 똑똑한 하루 VOCA   Level 4 B • 81

82~83쪽

똑똑한 하루 5일 VOCA

단어 쑥쑥 플러스

▶정답 12쪽

◉ 두 단어를 연결하여 새 단어를 만든 후, 알맞은 그림과 연결하고 단어를 쓰세요.

1. light – house – lighthouse
2. finger – nail – fingernail
3. jelly – fish – jellyfish
4. pop – corn – popcorn

복습 실력 쑥쑥

SPECIAL VOCA ▶정답 12쪽

A 잘 듣고, 알맞은 단어에 동그라미 한 후 우리말 뜻을 쓰세요.

1. popcorn (○) / jellyfish – 뜻 팝콘
2. fingernail / lighthouse (○) – 뜻 등대
3. jellyfish / fingernail (○) – 뜻 손톱

B 그림에 알맞은 단어가 되도록 알파벳을 바르게 배열하여 쓰세요.

1. sljyfehil – jellyfish
2. einlragnif – fingernail
3. hetluiohgs – lighthouse
4. cpnopro – popcorn

듣 1. twice 2. jellyfish 3. never 4. fingernail 5. five times 6. lighthouse 7. sometimes 8. three times 9. popcorn 10. always

차곡차곡 복습

◉ 단어나 어구를 듣고, 우리말 뜻을 말해 보세요.

1. 두 번 2. 해파리 3. 절대 … 않다 4. 손톱 5. 다섯 번 6. 등대 7. 가끔 8. 세 번 9. 팝콘 10. 항상

82 • 똑똑한 하루 VOCA   Level 4 B • 83

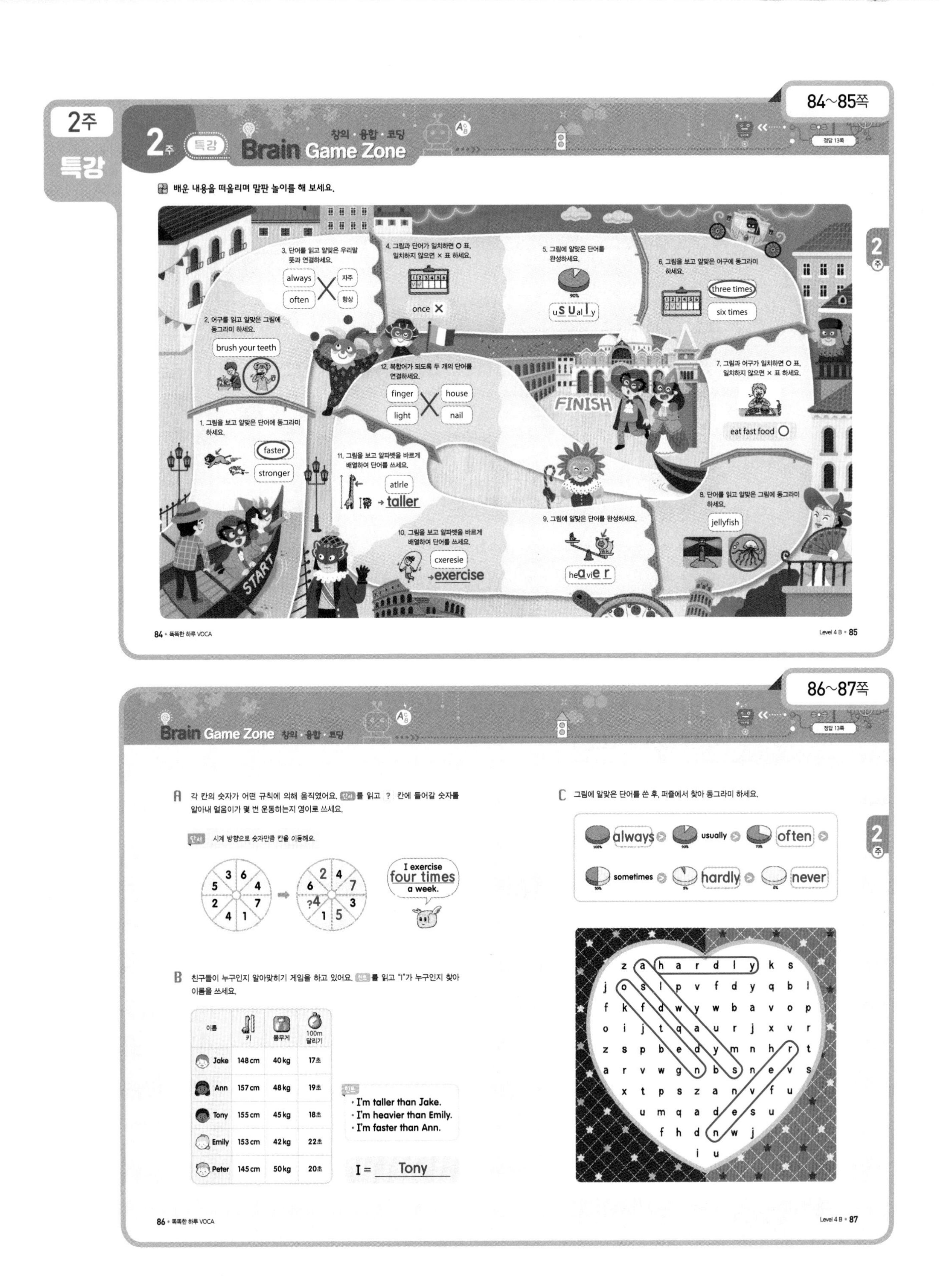

2주 특강

84~85쪽

2주 특강 창의 · 융합 · 코딩 Brain Game Zone

정답 13쪽

배운 내용을 떠올리며 말판 놀이를 해 보세요.

1. 그림을 보고 알맞은 단어에 동그라미 하세요.
faster (circled) / stronger

2. 어구를 읽고 알맞은 그림에 동그라미 하세요.
brush your teeth

3. 단어를 읽고 알맞은 우리말 뜻과 연결하세요.
always – 항상 / often – 자주

4. 그림과 단어가 일치하면 O 표, 일치하지 않으면 × 표 하세요.
once ×

5. 그림에 알맞은 단어를 완성하세요.
usually

6. 그림을 보고 알맞은 어구에 동그라미 하세요.
three times (circled) / six times

7. 그림과 어구가 일치하면 O 표, 일치하지 않으면 × 표 하세요.
eat fast food O

8. 단어를 읽고 알맞은 그림에 동그라미 하세요.
jellyfish

9. 그림에 알맞은 단어를 완성하세요.
heavier

10. 그림을 보고 알파벳을 바르게 배열하여 단어를 쓰세요.
cxeresie → exercise

11. 그림을 보고 알파벳을 바르게 배열하여 단어를 쓰세요.
atlrle → taller

12. 복합어가 되도록 두 개의 단어를 연결하세요.
finger – nail / light – house

START FINISH

84 • 똑똑한 하루 VOCA Level 4 B • 85

86~87쪽

Brain Game Zone 창의 · 융합 · 코딩

정답 13쪽

A 각 칸의 숫자가 어떤 규칙에 의해 움직였어요. 단서를 읽고 ? 칸에 들어갈 숫자를 알아내 얼음이가 몇 번 운동하는지 영어로 쓰세요.

단서 시계 방향으로 숫자만큼 칸을 이동해요.

I exercise four times a week.

B 친구들이 누구인지 알아맞히기 게임을 하고 있어요. 힌트를 읽고 "I"가 누구인지 찾아 이름을 쓰세요.

이름	키	몸무게	100m 달리기
Jake	148 cm	40 kg	17초
Ann	157 cm	48 kg	19초
Tony	155 cm	45 kg	18초
Emily	153 cm	42 kg	22초
Peter	145 cm	50 kg	20초

힌트
- I'm taller than Jake.
- I'm heavier than Emily.
- I'm faster than Ann.

I = Tony

C 그림에 알맞은 단어를 쓴 후, 퍼즐에서 찾아 동그라미 하세요.

always → usually → often → sometimes → hardly → never

86 • 똑똑한 하루 VOCA Level 4 B • 87

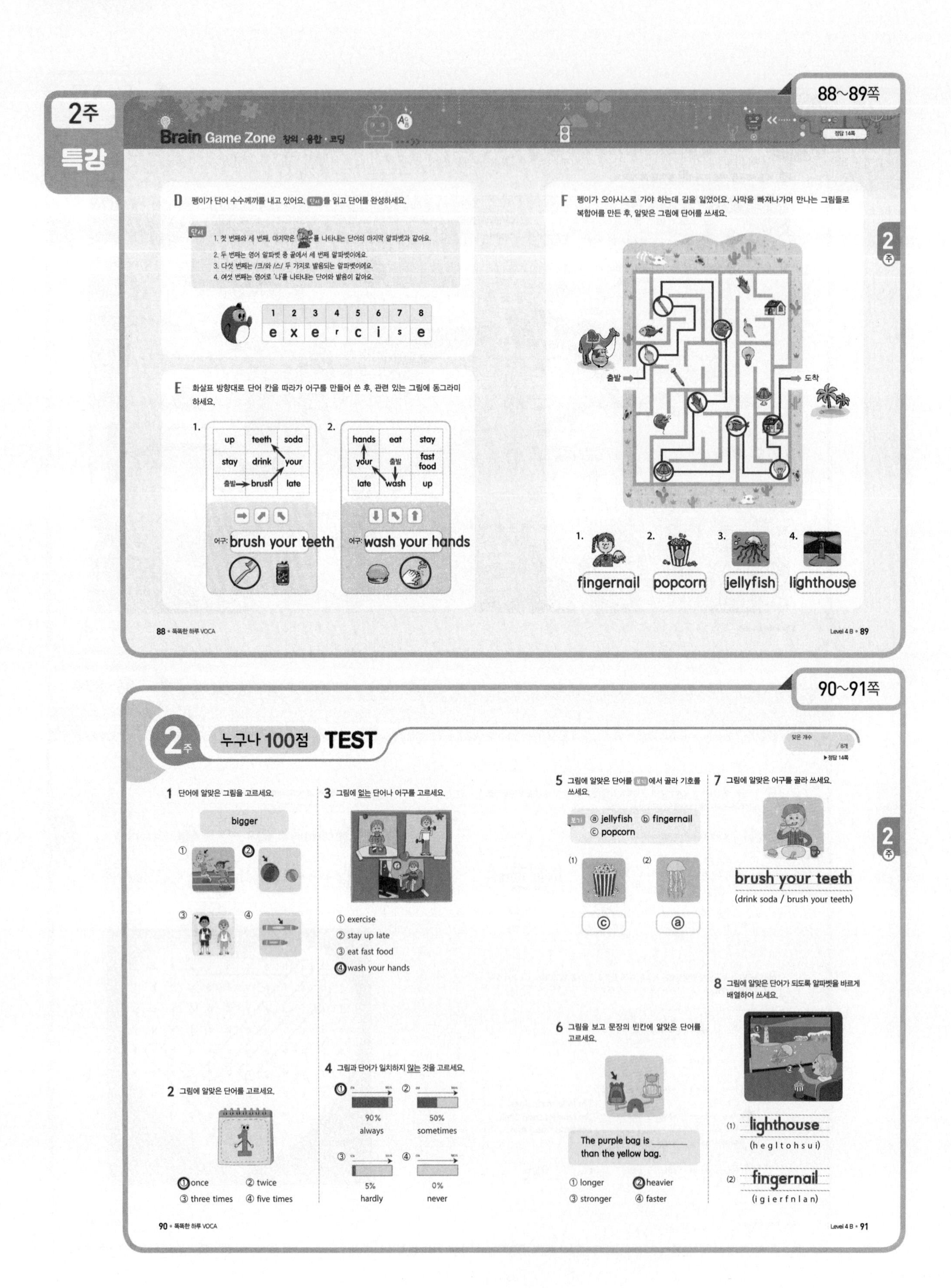

88~89쪽

2주 특강

Brain Game Zone 창의 · 융합 · 코딩

정답 14쪽

D 펭이가 단어 수수께끼를 내고 있어요. 단서를 읽고 단어를 완성하세요.

단서
1. 첫 번째와 세 번째, 마지막은 (그림)를 나타내는 단어의 마지막 알파벳과 같아요.
2. 두 번째는 영어 알파벳 중 끝에서 세 번째 알파벳이에요.
3. 다섯 번째는 /크/와 /스/ 두 가지로 발음되는 알파벳이에요.
4. 여섯 번째는 영어로 '나'를 나타내는 단어와 발음이 같아요.

1	2	3	4	5	6	7	8
e	x	e	r	c	i	s	e

E 화살표 방향대로 단어 칸을 따라가 어구를 만들어 쓴 후, 관련 있는 그림에 동그라미 하세요.

1.

up	teeth	soda
stay	drink	your
출발 → brush		late

어구: brush your teeth

2.

hands	eat	stay
your	출발	fast food
late	wash	up

어구: wash your hands

F 펭이가 오아시스로 가야 하는데 길을 잃었어요. 사막을 빠져나가며 만나는 그림들로 복합어를 만든 후, 알맞은 그림에 단어를 쓰세요.

출발 도착

1. fingernail 2. popcorn 3. jellyfish 4. lighthouse

88 • 똑똑한 하루 VOCA

Level 4 B • 89

90~91쪽

2주 누구나 100점 TEST

맞은 개수 /8개

▶정답 14쪽

1 단어에 알맞은 그림을 고르세요.

bigger

①, ②(정답), ③, ④

2 그림에 알맞은 단어를 고르세요.

①(정답) once ② twice
③ three times ④ five times

3 그림에 없는 단어나 어구를 고르세요.

① exercise
② stay up late
③ eat fast food
④(정답) wash your hands

4 그림과 단어가 일치하지 않는 것을 고르세요.

①(정답) 90% always
② 50% sometimes
③ 5% hardly
④ 0% never

5 그림에 알맞은 단어를 보기에서 골라 기호를 쓰세요.

보기 ⓐ jellyfish ⓑ fingernail ⓒ popcorn

(1) ⓒ (2) ⓐ

6 그림을 보고 문장의 빈칸에 알맞은 단어를 고르세요.

The purple bag is ______ than the yellow bag.

① longer ②(정답) heavier
③ stronger ④ faster

7 그림에 알맞은 어구를 골라 쓰세요.

brush your teeth

(drink soda / brush your teeth)

8 그림에 알맞은 단어가 되도록 알파벳을 바르게 배열하여 쓰세요.

(1) lighthouse (h e g l t o h s u i)

(2) fingernail (i g i e r f n l a n)

90 • 똑똑한 하루 VOCA

Level 4 B • 91

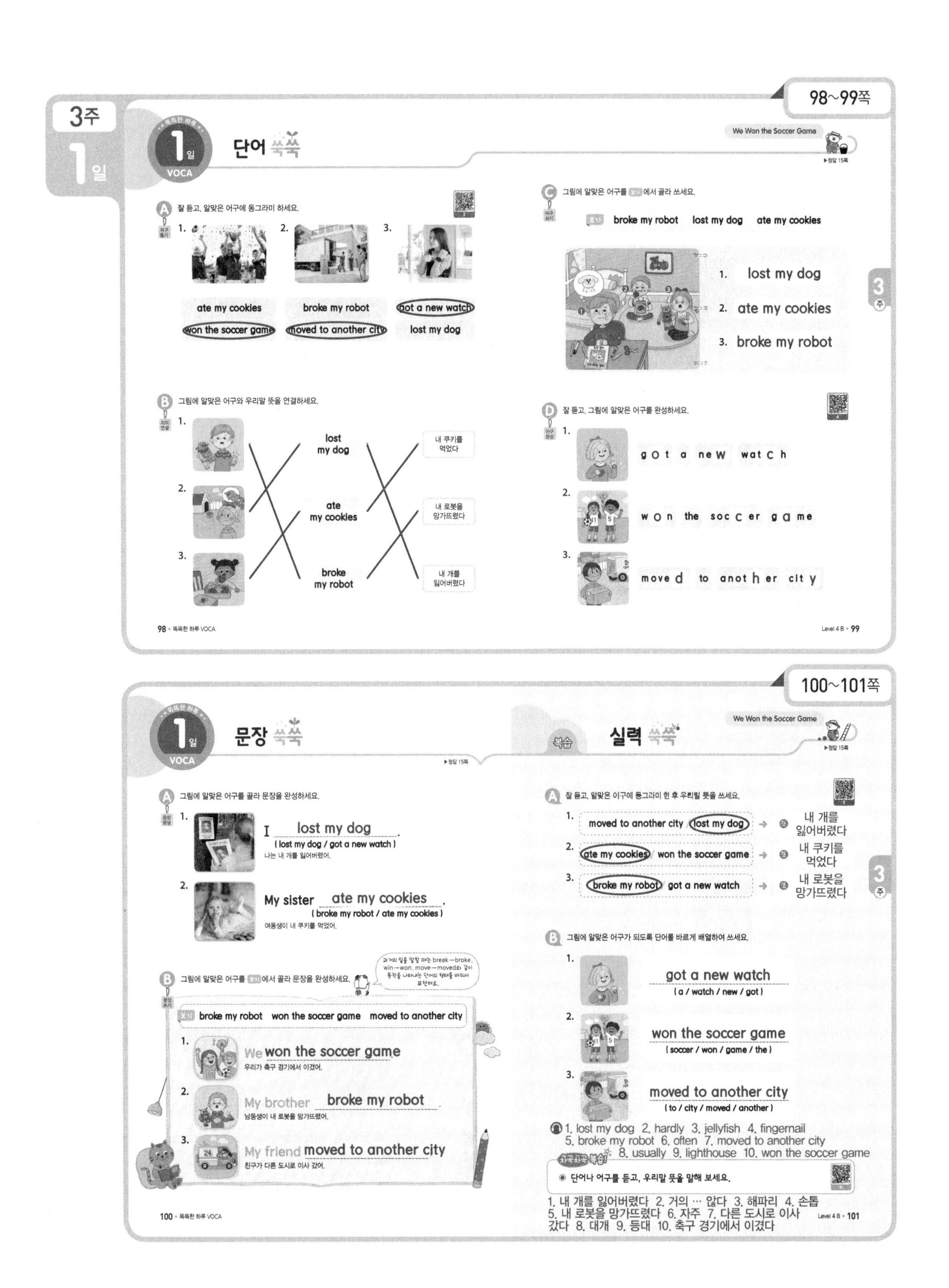

3주 1일

98~99쪽

1일 VOCA 단어 쑥쑥

We Won the Soccer Game

▶정답 15쪽

A 잘 듣고, 알맞은 어구에 동그라미 하세요.

1. ate my cookies / (won the soccer game)
2. broke my robot / (moved to another city)
3. (got a new watch) / lost my dog

B 그림에 알맞은 어구와 우리말 뜻을 연결하세요.

1. lost my dog — 내 개를 잃어버렸다
2. ate my cookies — 내 쿠키를 먹었다
3. broke my robot — 내 로봇을 망가뜨렸다

C 그림에 알맞은 어구를 보기에서 골라 쓰세요.

보기 broke my robot lost my dog ate my cookies

1. lost my dog
2. ate my cookies
3. broke my robot

D 잘 듣고, 그림에 알맞은 어구를 완성하세요.

1. got a new watch
2. won the soccer game
3. moved to another city

98 • 똑똑한 하루 VOCA

Level 4 B • 99

100~101쪽

1일 VOCA 문장 쑥쑥

▶정답 15쪽

A 그림에 알맞은 어구를 골라 문장을 완성하세요.

1. I lost my dog. (lost my dog / got a new watch)
나는 내 개를 잃어버렸어.

2. My sister ate my cookies. (broke my robot / ate my cookies)
여동생이 내 쿠키를 먹었어.

B 그림에 알맞은 어구를 보기에서 골라 문장을 완성하세요.

과거의 일을 말할 때는 break→broke, win→won, move→moved와 같이 동작을 나타내는 단어의 형태를 바꾸어 표현해요.

보기 broke my robot won the soccer game moved to another city

1. We won the soccer game
우리가 축구 경기에서 이겼어.
2. My brother broke my robot
남동생이 내 로봇을 망가뜨렸어.
3. My friend moved to another city
친구가 다른 도시로 이사 갔어.

복습 실력 쑥쑥

We Won the Soccer Game

▶정답 15쪽

A 잘 듣고, 알맞은 어구에 동그라미 한 후 우리말 뜻을 쓰세요.

1. moved to another city / (lost my dog) → 내 개를 잃어버렸다
2. (ate my cookies) / won the soccer game → 내 쿠키를 먹었다
3. (broke my robot) / got a new watch → 내 로봇을 망가뜨렸다

B 그림에 알맞은 어구가 되도록 단어를 바르게 배열하여 쓰세요.

1. got a new watch (a / watch / new / got)
2. won the soccer game (soccer / won / game / the)
3. moved to another city (to / city / moved / another)

1. lost my dog 2. hardly 3. jellyfish 4. fingernail 5. broke my robot 6. often 7. moved to another city 8. usually 9. lighthouse 10. won the soccer game

차곡차곡 복습

◉ 단어나 어구를 듣고, 우리말 뜻을 말해 보세요.

1. 내 개를 잃어버렸다 2. 거의 … 않다 3. 해파리 4. 손톱 5. 내 로봇을 망가뜨렸다 6. 자주 7. 다른 도시로 이사 갔다 8. 대개 9. 등대 10. 축구 경기에서 이겼다

100 • 똑똑한 하루 VOCA

Level 4 B • 101

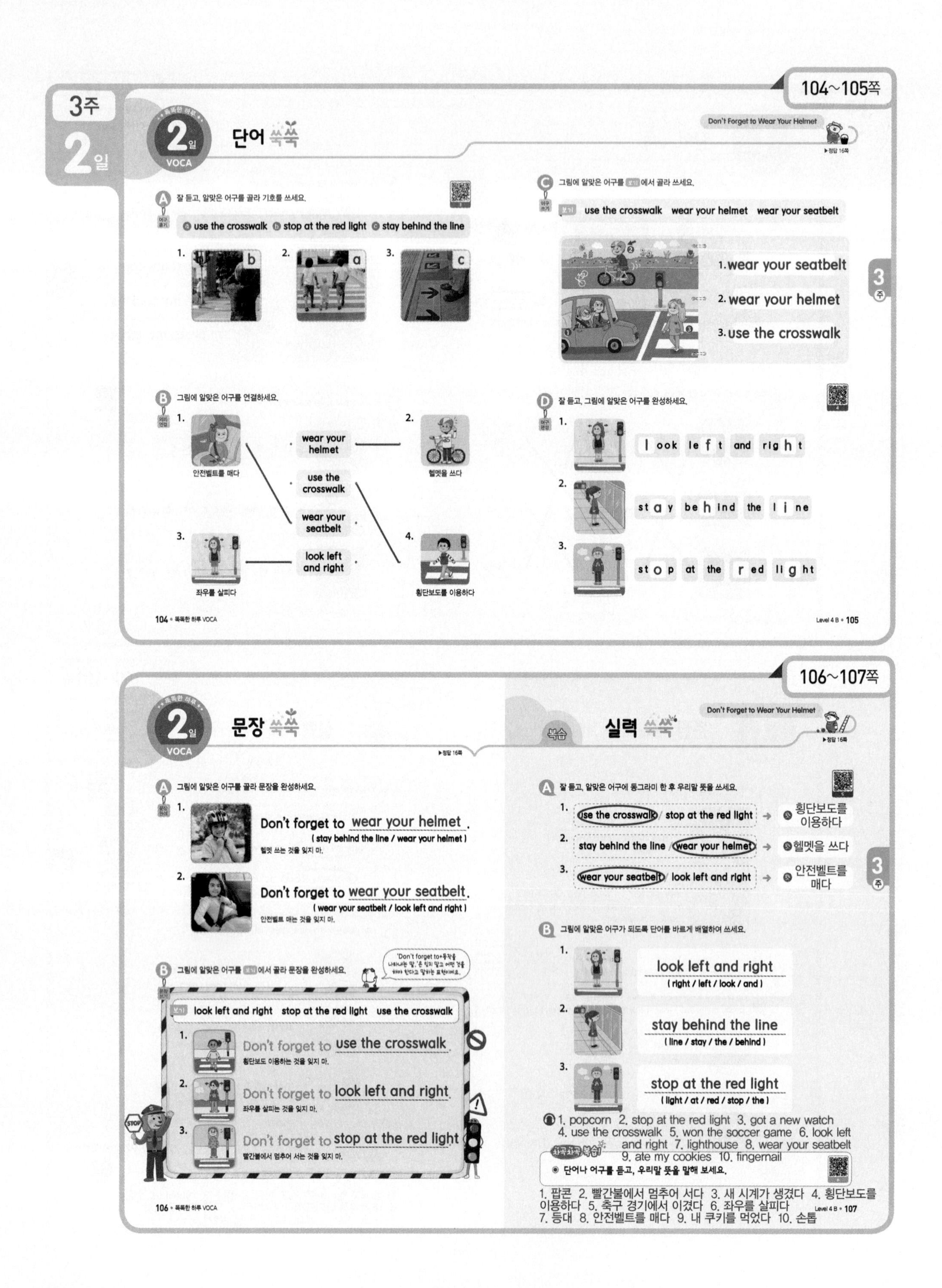

3주 2일

104~105쪽

2일 VOCA 단어 쑥쑥

Don't Forget to Wear Your Helmet

▶정답 16쪽

A 잘 듣고, 알맞은 어구를 골라 기호를 쓰세요.

ⓐ use the crosswalk ⓑ stop at the red light ⓒ stay behind the line

1. b 2. a 3. c

B 그림에 알맞은 어구를 연결하세요.

1. 안전벨트를 매다 — wear your seatbelt
2. 헬멧을 쓰다 — wear your helmet
3. 좌우를 살피다 — look left and right
4. 횡단보도를 이용하다 — use the crosswalk

C 그림에 알맞은 어구를 보기에서 골라 쓰세요.

보기 use the crosswalk wear your helmet wear your seatbelt

1. wear your seatbelt
2. wear your helmet
3. use the crosswalk

D 잘 듣고, 그림에 알맞은 어구를 완성하세요.

1. l ook le f t and rig h t
2. st a y be h ind the l i ne
3. st o p at the r ed li g ht

104 • 똑똑한 하루 VOCA　　Level 4 B • 105

106~107쪽

2일 VOCA 문장 쑥쑥

▶정답 16쪽

A 그림에 알맞은 어구를 골라 문장을 완성하세요.

1. Don't forget to wear your helmet.
(stay behind the line / wear your helmet)
헬멧 쓰는 것을 잊지 마.

2. Don't forget to wear your seatbelt.
(wear your seatbelt / look left and right)
안전벨트 매는 것을 잊지 마.

B 그림에 알맞은 어구를 보기에서 골라 문장을 완성하세요.

'Don't forget to+동작'을 나타내는 말.'은 잊지 말고 어떤 것을 해야 한다고 말하는 표현이에요.

보기 look left and right stop at the red light use the crosswalk

1. Don't forget to use the crosswalk.
횡단보도 이용하는 것을 잊지 마.
2. Don't forget to look left and right.
좌우를 살피는 것을 잊지 마.
3. Don't forget to stop at the red light.
빨간불에서 멈추어 서는 것을 잊지 마.

106 • 똑똑한 하루 VOCA

복습 실력 쑥쑥

Don't Forget to Wear Your Helmet

▶정답 16쪽

A 잘 듣고, 알맞은 어구에 동그라미 한 후 우리말 뜻을 쓰세요.

1. (use the crosswalk) / stop at the red light → 횡단보도를 이용하다
2. stay behind the line / (wear your helmet) → 헬멧을 쓰다
3. (wear your seatbelt) / look left and right → 안전벨트를 매다

B 그림에 알맞은 어구가 되도록 단어를 바르게 배열하여 쓰세요.

1. look left and right
(right / left / look / and)
2. stay behind the line
(line / stay / the / behind)
3. stop at the red light
(light / at / red / stop / the)

1. popcorn 2. stop at the red light 3. got a new watch 4. use the crosswalk 5. won the soccer game 6. look left and right 7. lighthouse 8. wear your seatbelt 9. ate my cookies 10. fingernail

차곡차곡 복습

◉ 단어나 어구를 듣고, 우리말 뜻을 말해 보세요.

1. 팝콘 2. 빨간불에서 멈추어 서다 3. 새 시계가 생겼다 4. 횡단보도를 이용하다 5. 축구 경기에서 이겼다 6. 좌우를 살피다 7. 등대 8. 안전벨트를 매다 9. 내 쿠키를 먹었다 10. 손톱

Level 4 B • 107

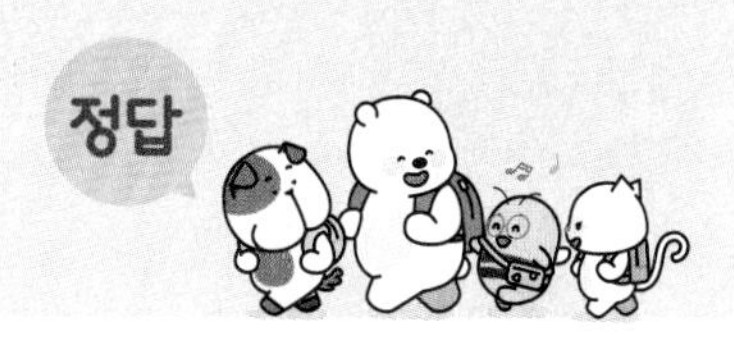

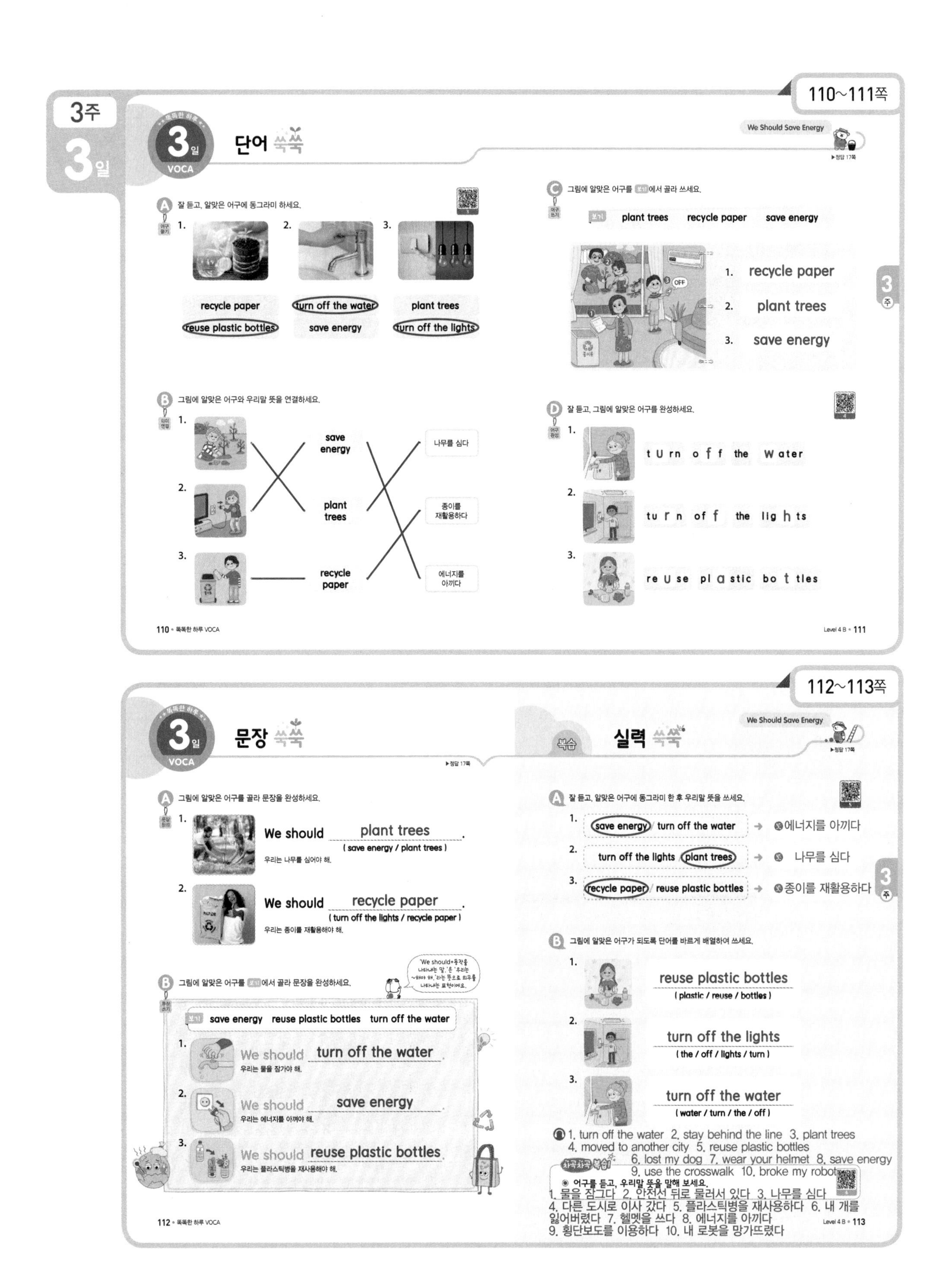

110~111쪽

3주 3일

3일 VOCA

단어 쑥쑥

We Should Save Energy

▶정답 17쪽

A 잘 듣고, 알맞은 어구에 동그라미 하세요.

1. recycle paper / (reuse plastic bottles)
2. (turn off the water) / save energy
3. plant trees / (turn off the lights)

B 그림에 알맞은 어구와 우리말 뜻을 연결하세요.

1. plant trees — 나무를 심다
2. save energy — 에너지를 아끼다
3. recycle paper — 종이를 재활용하다

C 그림에 알맞은 어구를 보기에서 골라 쓰세요.

보기 plant trees recycle paper save energy

1. recycle paper
2. plant trees
3. save energy

D 잘 듣고, 그림에 알맞은 어구를 완성하세요.

1. t U rn o f f the W ater
2. tu r n of f the lig h ts
3. re U se pl a stic bo t tles

110 • 똑똑한 하루 VOCA

Level 4 B • 111

112~113쪽

문장 쑥쑥

▶정답 17쪽

A 그림에 알맞은 어구를 골라 문장을 완성하세요.

1. We should plant trees. (save energy / plant trees)
우리는 나무를 심어야 해.
2. We should recycle paper. (turn off the lights / recycle paper)
우리는 종이를 재활용해야 해.

B 그림에 알맞은 어구를 보기에서 골라 문장을 완성하세요.

'We should+동작을 나타내는 말.'은 '우리는 ~해야 해.'라는 뜻으로 의무를 나타내는 표현이에요.

보기 save energy reuse plastic bottles turn off the water

1. We should turn off the water.
우리는 물을 잠가야 해.
2. We should save energy.
우리는 에너지를 아껴야 해.
3. We should reuse plastic bottles.
우리는 플라스틱병을 재사용해야 해.

112 • 똑똑한 하루 VOCA

복습 실력 쑥쑥

We Should Save Energy

▶정답 17쪽

A 잘 듣고, 알맞은 어구에 동그라미 한 후 우리말 뜻을 쓰세요.

1. (save energy) / turn off the water → 에너지를 아끼다
2. turn off the lights / (plant trees) → 나무를 심다
3. (recycle paper) / reuse plastic bottles → 종이를 재활용하다

B 그림에 알맞은 어구가 되도록 단어를 바르게 배열하여 쓰세요.

1. reuse plastic bottles (plastic / reuse / bottles)
2. turn off the lights (the / off / lights / turn)
3. turn off the water (water / turn / the / off)

차곡차곡 복습

① 1. turn off the water 2. stay behind the line 3. plant trees 4. moved to another city 5. reuse plastic bottles 6. lost my dog 7. wear your helmet 8. save energy 9. use the crosswalk 10. broke my robot

◉ 어구를 듣고, 우리말 뜻을 말해 보세요.

1. 물을 잠그다 2. 안전선 뒤로 물러서 있다 3. 나무를 심다 4. 다른 도시로 이사 갔다 5. 플라스틱병을 재사용하다 6. 내 개를 잃어버렸다 7. 헬멧을 쓰다 8. 에너지를 아끼다 9. 횡단보도를 이용하다 10. 내 로봇을 망가뜨렸다

Level 4 B • 113

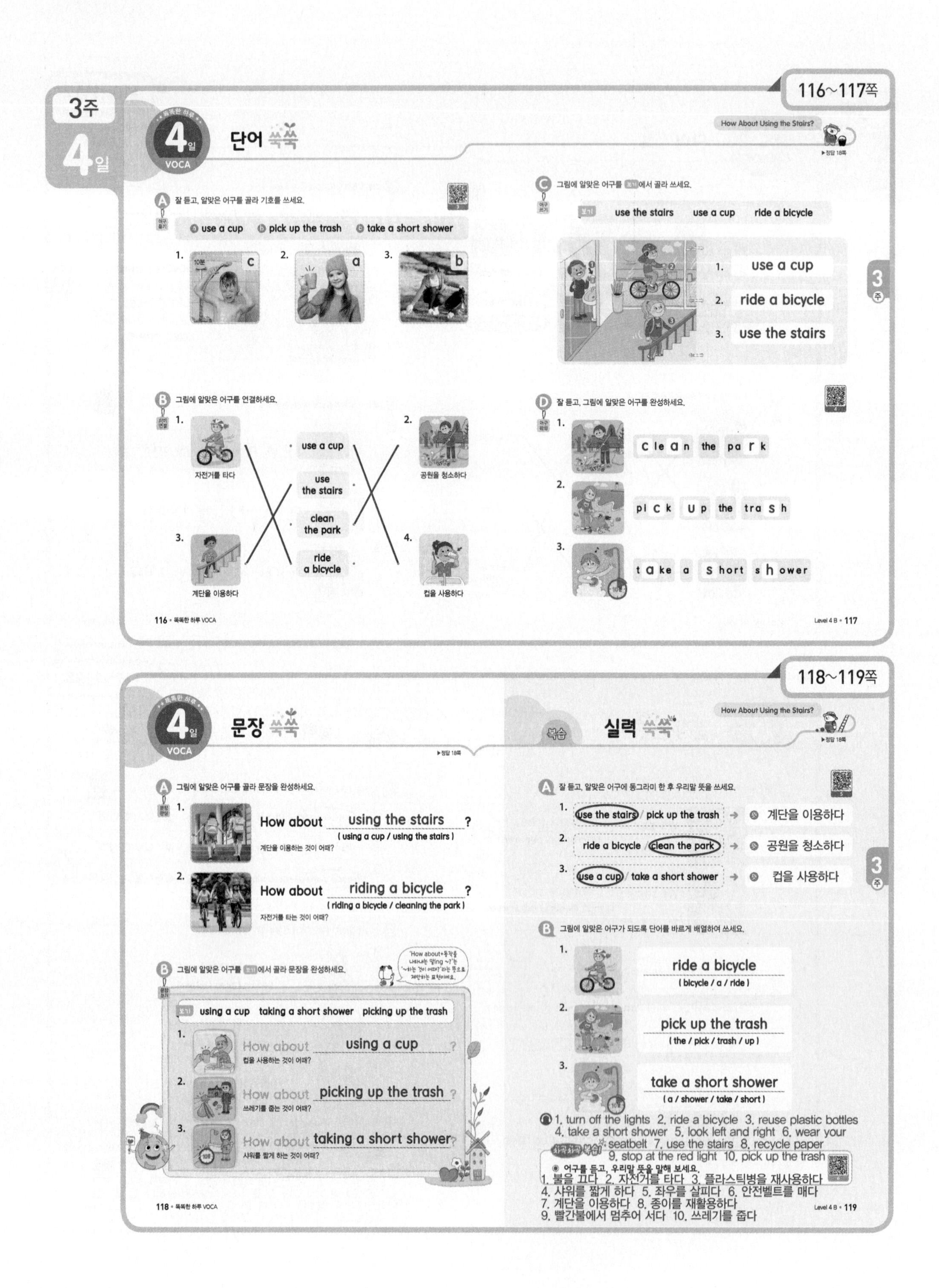

116~117쪽

3주 4일

4일 VOCA 단어 쑥쑥

How About Using the Stairs?

▶정답 18쪽

A 잘 듣고, 알맞은 어구를 골라 기호를 쓰세요.

ⓐ use a cup ⓑ pick up the trash ⓒ take a short shower

1. c 2. a 3. b

B 그림에 알맞은 어구를 연결하세요.

1. 자전거를 타다 — ride a bicycle
2. 공원을 청소하다 — clean the park
3. 계단을 이용하다 — use the stairs
4. 컵을 사용하다 — use a cup

C 그림에 알맞은 어구를 보기에서 골라 쓰세요.

보기 use the stairs use a cup ride a bicycle

1. use a cup
2. ride a bicycle
3. use the stairs

D 잘 듣고, 그림에 알맞은 어구를 완성하세요.

1. clean the park
2. pick up the trash
3. take a short shower

116 • 똑똑한 하루 VOCA Level 4 B • 117

118~119쪽

4일 VOCA 문장 쑥쑥

▶정답 18쪽

A 그림에 알맞은 어구를 골라 문장을 완성하세요.

1. How about using the stairs? (using a cup / using the stairs) 계단을 이용하는 것이 어때?
2. How about riding a bicycle? (riding a bicycle / cleaning the park) 자전거를 타는 것이 어때?

B 그림에 알맞은 어구를 보기에서 골라 문장을 완성하세요.

'How about+동작을 나타내는 말ing ~?'는 '~하는 것이 어때?'라는 뜻으로 제안하는 표현이에요.

보기 using a cup taking a short shower picking up the trash

1. How about using a cup? 컵을 사용하는 것이 어때?
2. How about picking up the trash? 쓰레기를 줍는 것이 어때?
3. How about taking a short shower? 샤워를 짧게 하는 것이 어때?

118 • 똑똑한 하루 VOCA

복습 실력 쑥쑥

How About Using the Stairs?

▶정답 18쪽

A 잘 듣고, 알맞은 어구에 동그라미 한 후 우리말 뜻을 쓰세요.

1. (use the stairs) / pick up the trash → 계단을 이용하다
2. ride a bicycle / (clean the park) → 공원을 청소하다
3. (use a cup) / take a short shower → 컵을 사용하다

B 그림에 알맞은 어구가 되도록 단어를 바르게 배열하여 쓰세요.

1. ride a bicycle (bicycle / a / ride)
2. pick up the trash (the / pick / trash / up)
3. take a short shower (a / shower / take / short)

1. turn off the lights 2. ride a bicycle 3. reuse plastic bottles 4. take a short shower 5. look left and right 6. wear your seatbelt 7. use the stairs 8. recycle paper 9. stop at the red light 10. pick up the trash

● 어구를 듣고, 우리말 뜻을 말해 보세요.

1. 불을 끄다 2. 자전거를 타다 3. 플라스틱병을 재사용하다 4. 샤워를 짧게 하다 5. 좌우를 살피다 6. 안전벨트를 매다 7. 계단을 이용하다 8. 종이를 재활용하다 9. 빨간불에서 멈추어 서다 10. 쓰레기를 줍다

Level 4 B • 119

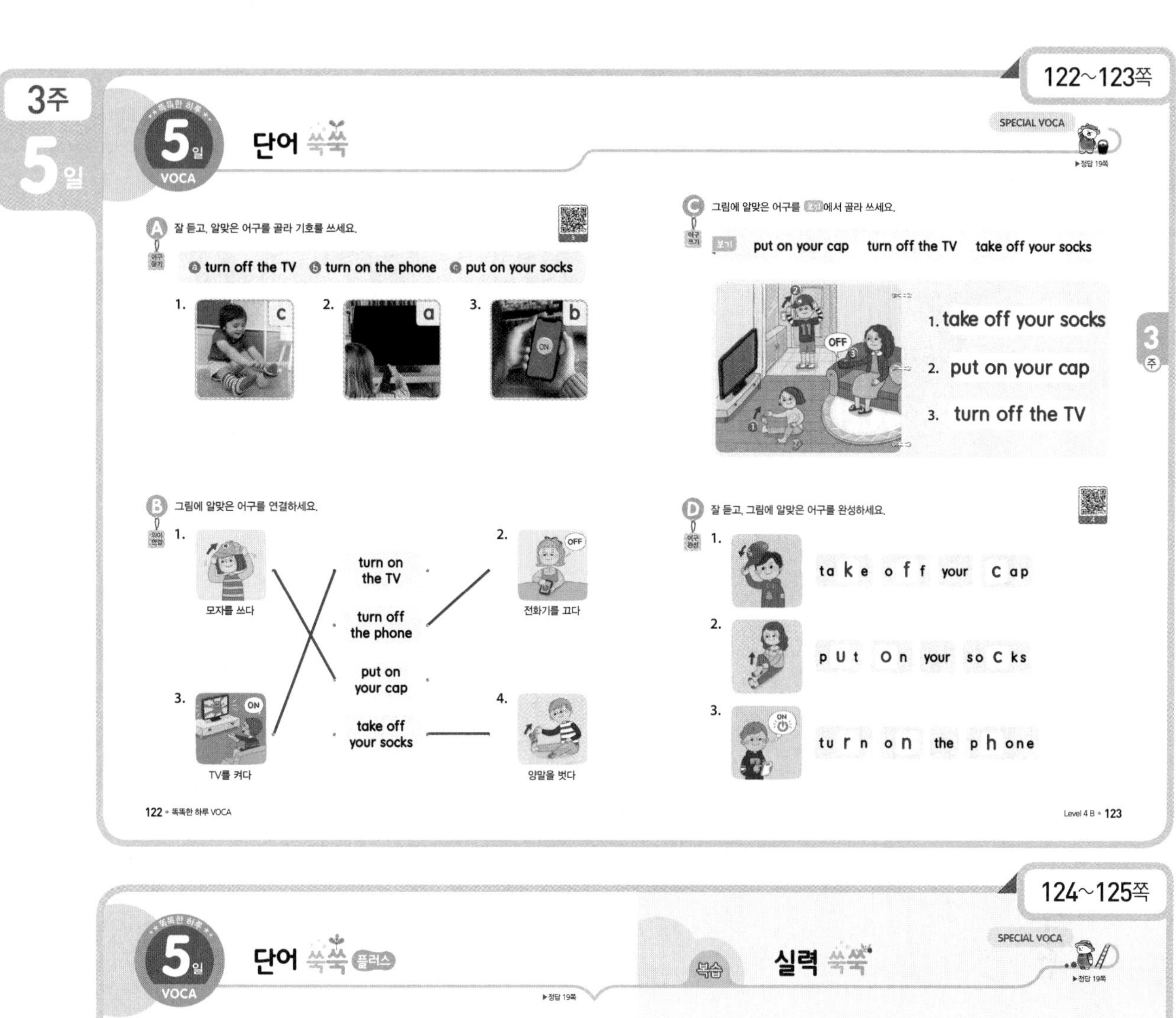

3주 5일

122~123쪽

5일 VOCA 단어 쑥쑥

SPECIAL VOCA

▶정답 19쪽

A 잘 듣고, 알맞은 어구를 골라 기호를 쓰세요.

ⓐ turn off the TV ⓑ turn on the phone ⓒ put on your socks

1. c 2. a 3. b

B 그림에 알맞은 어구를 연결하세요.

1. 모자를 쓰다 — put on your cap
2. 전화기를 끄다 — turn off the phone
3. TV를 켜다 — turn on the TV
4. 양말을 벗다 — take off your socks

C 그림에 알맞은 어구를 보기에서 골라 쓰세요.

보기 put on your cap turn off the TV take off your socks

1. take off your socks
2. put on your cap
3. turn off the TV

D 잘 듣고, 그림에 알맞은 어구를 완성하세요.

1. take off your cap
2. put on your socks
3. turn on the phone

122 • 똑똑한 하루 VOCA

Level 4 B • 123

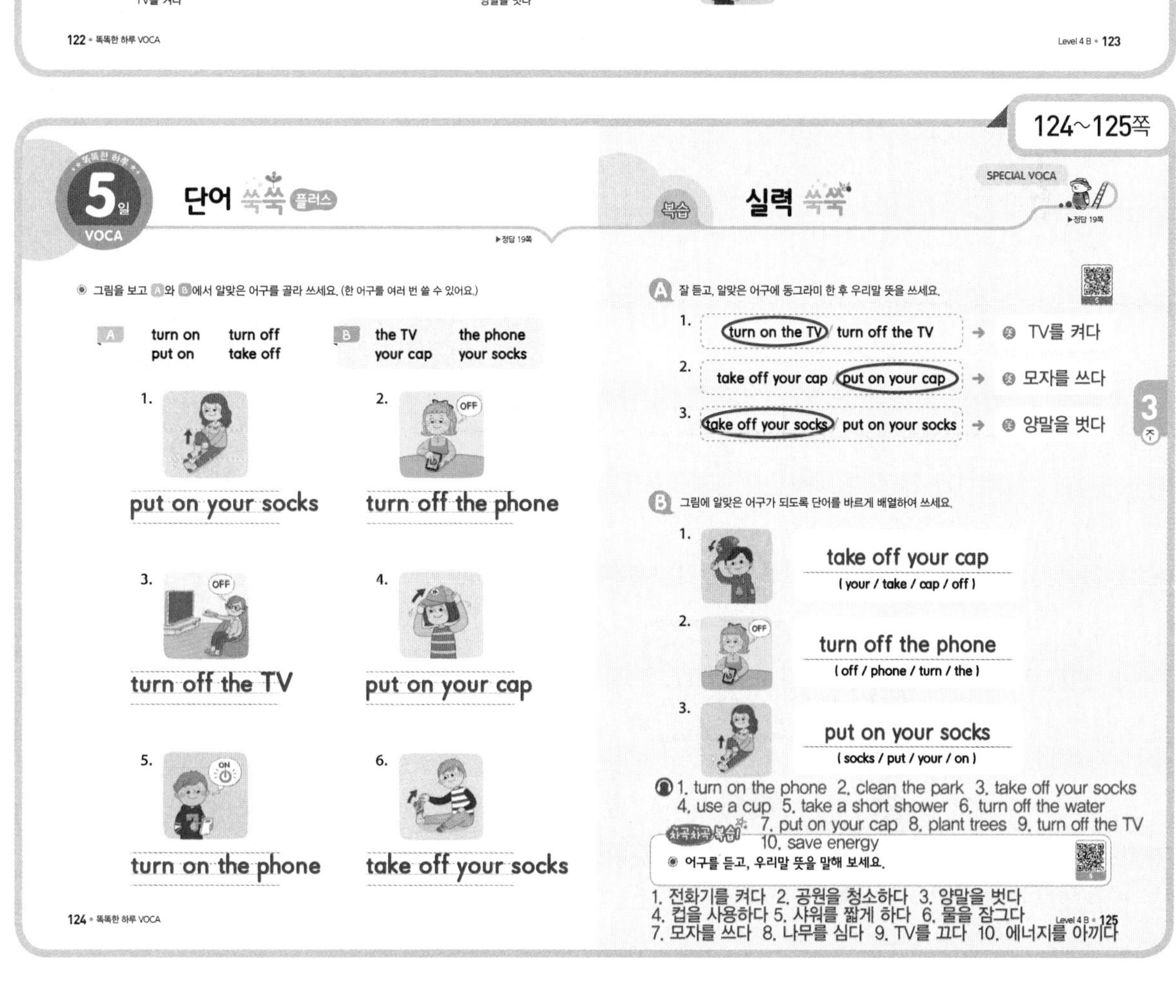

124~125쪽

5일 VOCA 단어 쑥쑥 플러스

▶정답 19쪽

◉ 그림을 보고 A와 B에서 알맞은 어구를 골라 쓰세요. (한 어구를 여러 번 쓸 수 있어요.)

A turn on turn off put on take off

B the TV the phone your cap your socks

1. put on your socks
2. turn off the phone
3. turn off the TV
4. put on your cap
5. turn on the phone
6. take off your socks

124 • 똑똑한 하루 VOCA

복습 실력 쑥쑥

SPECIAL VOCA

▶정답 19쪽

A 잘 듣고, 알맞은 어구에 동그라미 한 후 우리말 뜻을 쓰세요.

1. (turn on the TV) turn off the TV → TV를 켜다
2. take off your cap (put on your cap) → 모자를 쓰다
3. (take off your socks) put on your socks → 양말을 벗다

B 그림에 알맞은 어구가 되도록 단어를 바르게 배열하여 쓰세요.

1. take off your cap (your / take / cap / off)
2. turn off the phone (off / phone / turn / the)
3. put on your socks (socks / put / your / on)

차곡차곡 복습

◉ 어구를 듣고, 우리말 뜻을 말해 보세요.

영 1. turn on the phone 2. clean the park 3. take off your socks 4. use a cup 5. take a short shower 6. turn off the water 7. put on your cap 8. plant trees 9. turn off the TV 10. save energy

1. 전화기를 켜다 2. 공원을 청소하다 3. 양말을 벗다 4. 컵을 사용하다 5. 샤워를 짧게 하다 6. 물을 잠그다 7. 모자를 쓰다 8. 나무를 심다 9. TV를 끄다 10. 에너지를 아끼다

Level 4 B • 125

3주
특강

126~127쪽

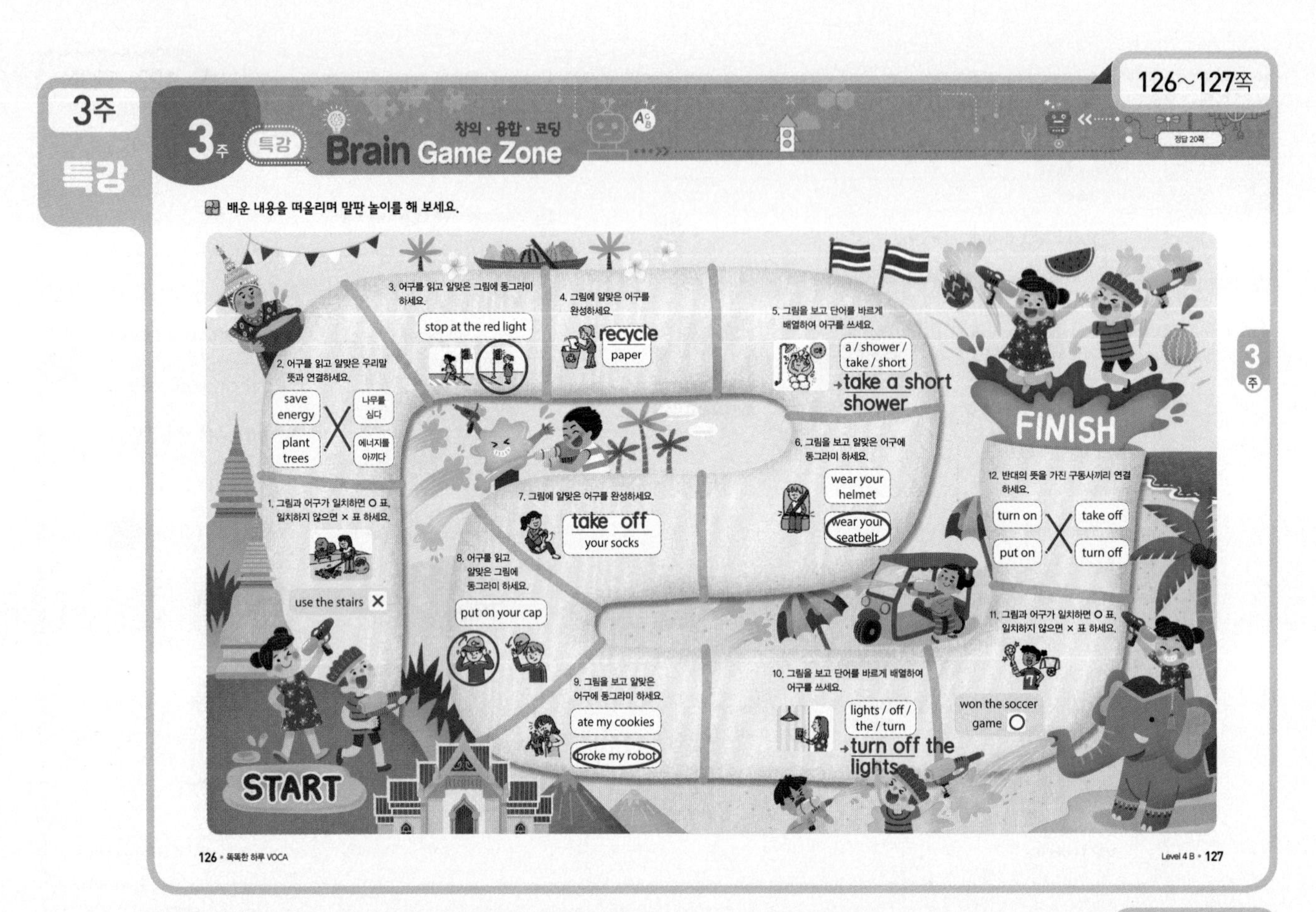

128~129쪽

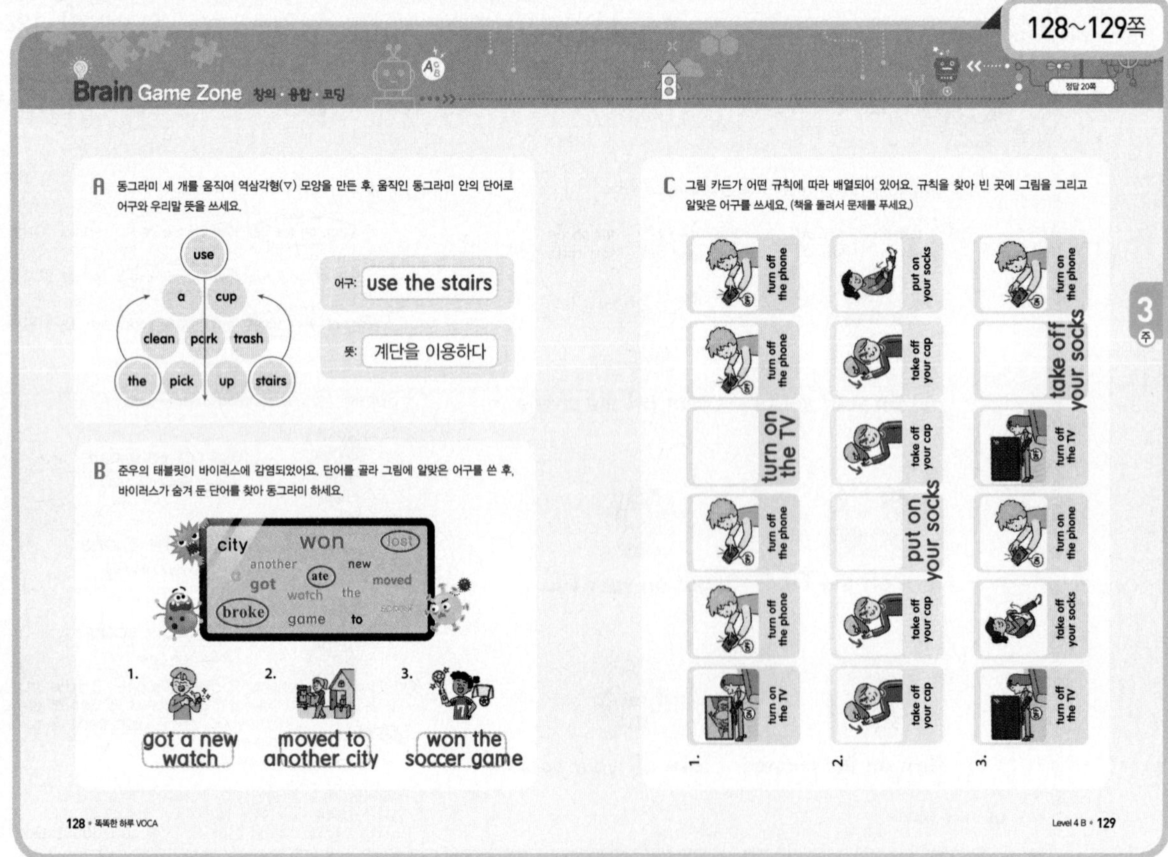

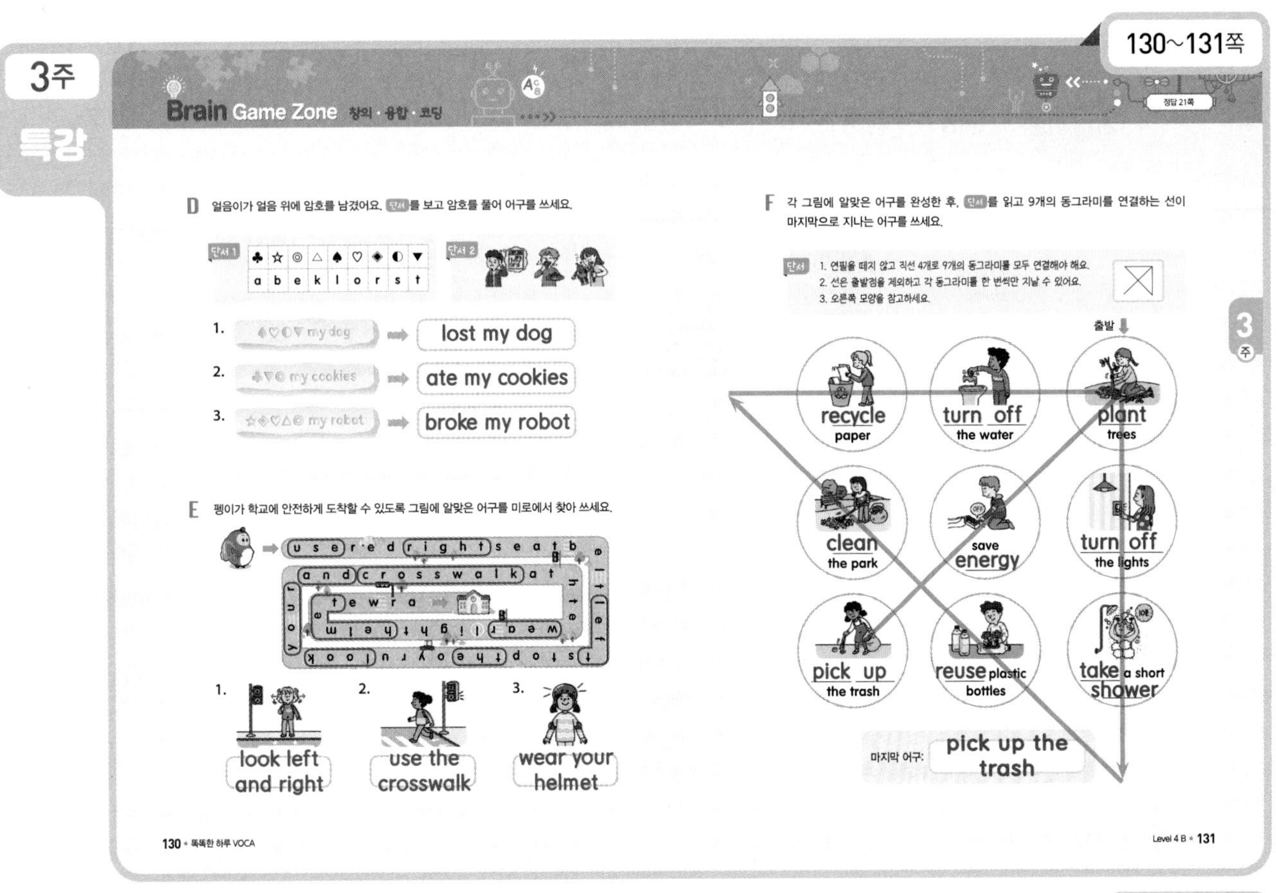

130~131쪽

3주 특강

Brain Game Zone 창의 · 융합 · 코딩

D 얼음이가 얼음 위에 암호를 남겼어요. 단서를 보고 암호를 풀어 어구를 쓰세요.

단서 1

♣	☆	◎	△	♠	♡	◈	◐	▼
a	b	e	k	l	o	r	s	t

단서 2

1. ♠♡◐▼ my dog ➡ lost my dog
2. ♣▼◎ my cookies ➡ ate my cookies
3. ☆◈♡△◎ my robot ➡ broke my robot

E 펭이가 학교에 안전하게 도착할 수 있도록 그림에 알맞은 어구를 미로에서 찾아 쓰세요.

1. look left and right
2. use the crosswalk
3. wear your helmet

F 각 그림에 알맞은 어구를 완성한 후, 단서를 읽고 9개의 동그라미를 연결하는 선이 마지막으로 지나는 어구를 쓰세요.

단서 1. 연필을 떼지 않고 직선 4개로 9개의 동그라미를 모두 연결해야 해요.
2. 선은 출발점을 제외하고 각 동그라미를 한 번씩만 지날 수 있어요.
3. 오른쪽 모양을 참고하세요.

출발

recycle paper / turn off the water / plant trees
clean the park / save energy / turn off the lights
pick up the trash / reuse plastic bottles / take a short shower

마지막 어구: pick up the trash

130 • 똑똑한 하루 VOCA

Level 4 B • 131

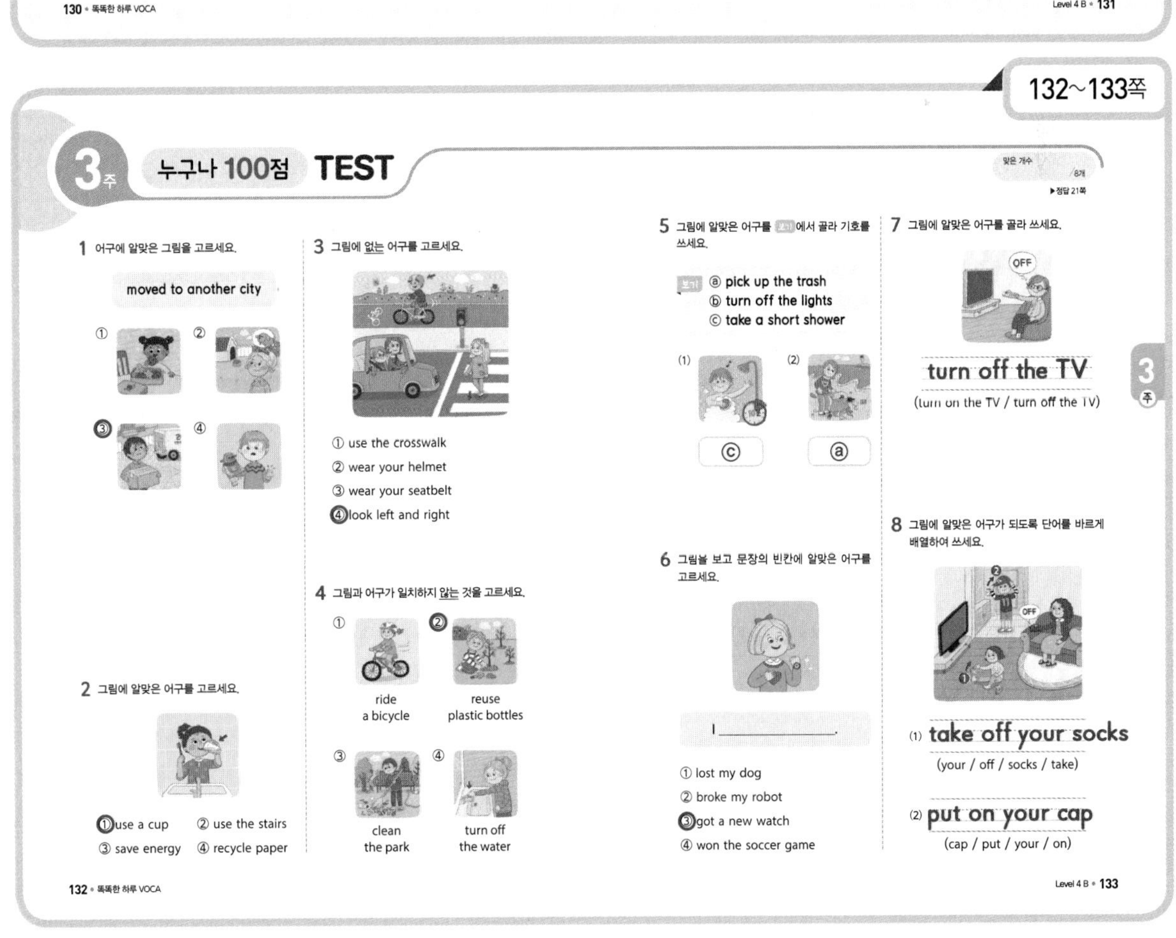

132~133쪽

3주 누구나 100점 TEST

맞은 개수 /8개

▶정답 21쪽

1 어구에 알맞은 그림을 고르세요.

moved to another city

①, ②, ③ (정답), ④

2 그림에 알맞은 어구를 고르세요.

① use a cup (정답) ② use the stairs
③ save energy ④ recycle paper

3 그림에 없는 어구를 고르세요.

① use the crosswalk
② wear your helmet
③ wear your seatbelt
④ look left and right (정답)

4 그림과 어구가 일치하지 않는 것을 고르세요.

① ride a bicycle
② reuse plastic bottles (정답)
③ clean the park
④ turn off the water

5 그림에 알맞은 어구를 보기에서 골라 기호를 쓰세요.

보기 ⓐ pick up the trash
ⓑ turn off the lights
ⓒ take a short shower

(1) ⓒ (2) ⓐ

6 그림을 보고 문장의 빈칸에 알맞은 어구를 고르세요.

I ____________.

① lost my dog
② broke my robot
③ got a new watch (정답)
④ won the soccer game

7 그림에 알맞은 어구를 골라 쓰세요.

turn off the TV

(turn on the TV / turn off the TV)

8 그림에 알맞은 어구가 되도록 단어를 바르게 배열하여 쓰세요.

(1) take off your socks
(your / off / socks / take)

(2) put on your cap
(cap / put / your / on)

132 • 똑똑한 하루 VOCA

Level 4 B • 133

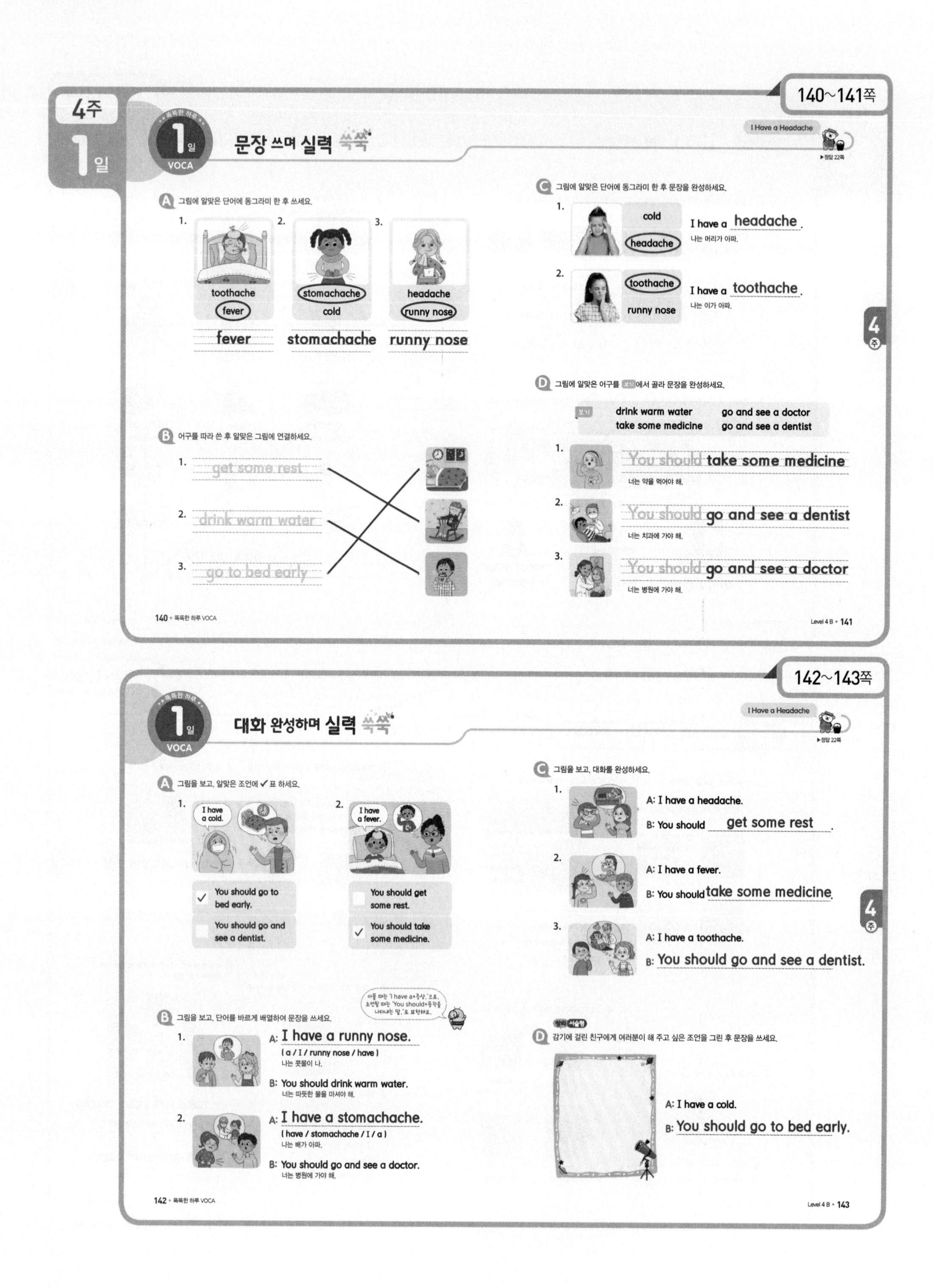

4주 1일

140~141쪽

1일 VOCA

문장 쓰며 실력 쑥쑥

I Have a Headache

▶정답 22쪽

A 그림에 알맞은 단어에 동그라미 한 후 쓰세요.

1. toothache / (fever) — fever
2. (stomachache) / cold — stomachache
3. headache / (runny nose) — runny nose

B 어구를 따라 쓴 후 알맞은 그림에 연결하세요.

1. get some rest
2. drink warm water
3. go to bed early

C 그림에 알맞은 단어에 동그라미 한 후 문장을 완성하세요.

1. cold / (headache) — I have a headache. 나는 머리가 아파.
2. (toothache) / runny nose — I have a toothache. 나는 이가 아파.

D 그림에 알맞은 어구를 보기에서 골라 문장을 완성하세요.

보기: drink warm water, go and see a doctor, take some medicine, go and see a dentist

1. You should take some medicine. 너는 약을 먹어야 해.
2. You should go and see a dentist. 너는 치과에 가야 해.
3. You should go and see a doctor. 너는 병원에 가야 해.

140 • 똑똑한 하루 VOCA　　Level 4 B • 141

142~143쪽

1일 VOCA

대화 완성하며 실력 쑥쑥

I Have a Headache

▶정답 22쪽

A 그림을 보고, 알맞은 조언에 ✓표 하세요.

1. I have a cold.
   - ✓ You should go to bed early.
   - You should go and see a dentist.
2. I have a fever.
   - You should get some rest.
   - ✓ You should take some medicine.

아플 때는 'I have a+증상.'으로, 조언할 때는 'You should+동작을 나타내는 말.'로 표현해요.

B 그림을 보고, 단어를 바르게 배열하여 문장을 쓰세요.

1. A: I have a runny nose. (a / I / runny nose / have) 나는 콧물이 나.
   B: You should drink warm water. 너는 따뜻한 물을 마셔야 해.
2. A: I have a stomachache. (have / stomachache / I / a) 나는 배가 아파.
   B: You should go and see a doctor. 너는 병원에 가야 해.

C 그림을 보고, 대화를 완성하세요.

1. A: I have a headache.
   B: You should get some rest.
2. A: I have a fever.
   B: You should take some medicine.
3. A: I have a toothache.
   B: You should go and see a dentist.

창의 서술형

D 감기에 걸린 친구에게 여러분이 해 주고 싶은 조언을 그린 후 문장을 쓰세요.

A: I have a cold.
B: You should go to bed early.

142 • 똑똑한 하루 VOCA　　Level 4 B • 143

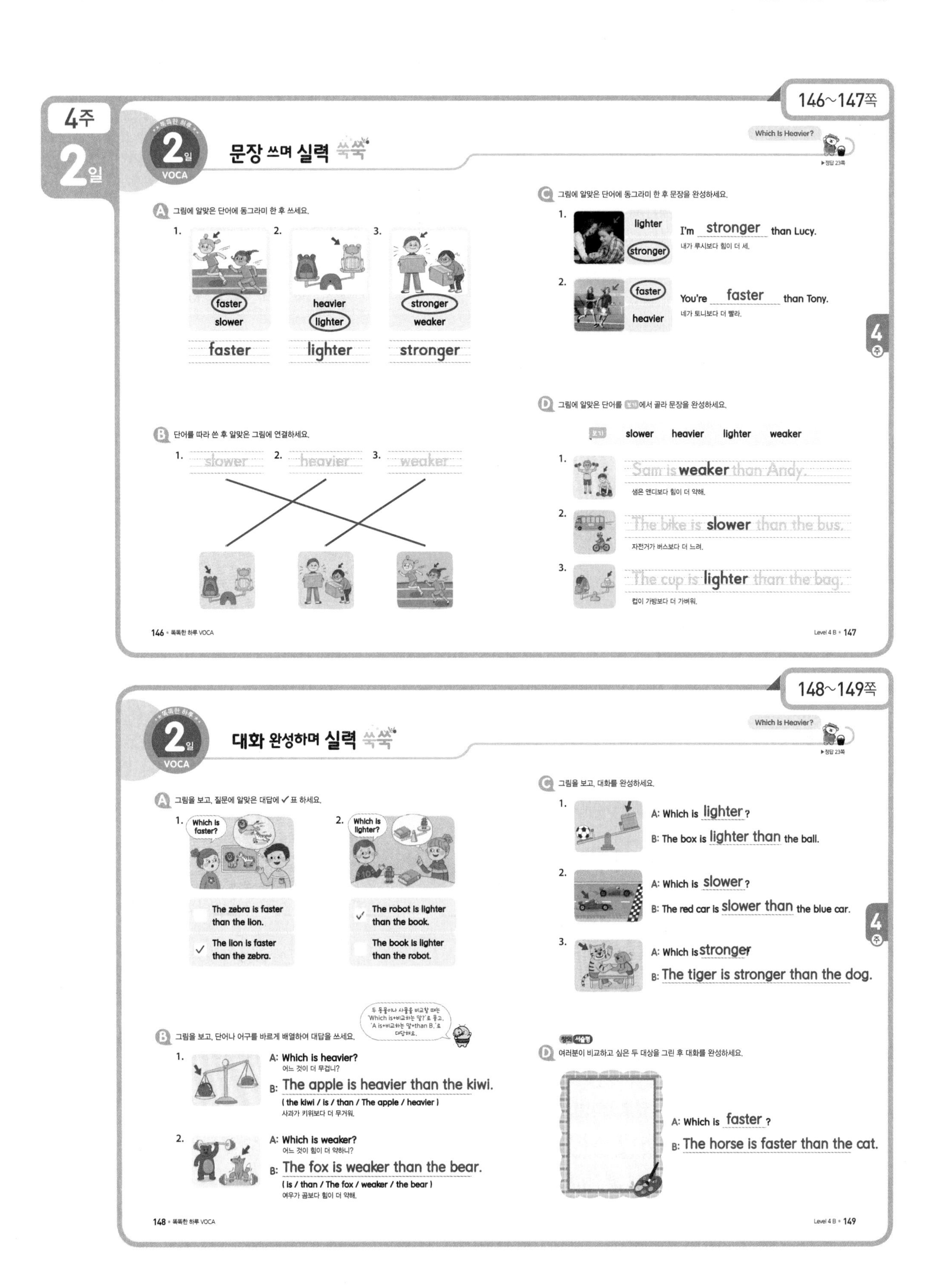

4주 2일

146~147쪽

2일 VOCA

문장 쓰며 실력 쑥쑥

Which Is Heavier?

▶정답 23쪽

A 그림에 알맞은 단어에 동그라미 한 후 쓰세요.

1. (faster) / slower — faster
2. heavier / (lighter) — lighter
3. (stronger) / weaker — stronger

B 단어를 따라 쓴 후 알맞은 그림에 연결하세요.

1. slower 2. heavier 3. weaker

C 그림에 알맞은 단어에 동그라미 한 후 문장을 완성하세요.

1. lighter / (stronger) — I'm stronger than Lucy.
내가 루시보다 힘이 더 세.
2. (faster) / heavier — You're faster than Tony.
네가 토니보다 더 빨라.

D 그림에 알맞은 단어를 보기에서 골라 문장을 완성하세요.

보기 slower heavier lighter weaker

1. Sam is weaker than Andy.
샘은 앤디보다 힘이 더 약해.
2. The bike is slower than the bus.
자전거가 버스보다 더 느려.
3. The cup is lighter than the bag.
컵이 가방보다 더 가벼워.

146 • 똑똑한 하루 VOCA Level 4 B • 147

148~149쪽

2일 VOCA

대화 완성하며 실력 쑥쑥

Which Is Heavier?

▶정답 23쪽

A 그림을 보고, 질문에 알맞은 대답에 ✓ 표 하세요.

1. Which is faster?
- The zebra is faster than the lion.
- ✓ The lion is faster than the zebra.

2. Which is lighter?
- ✓ The robot is lighter than the book.
- The book is lighter than the robot.

B 그림을 보고, 단어나 어구를 바르게 배열하여 대답을 쓰세요.

두 동물이나 사물을 비교할 때는 'Which is+비교하는 말?'로 묻고, 'A is+비교하는 말+than B.'로 대답해요.

1. A: Which is heavier?
어느 것이 더 무겁니?
B: The apple is heavier than the kiwi.
(the kiwi / is / than / The apple / heavier)
사과가 키위보다 더 무거워.

2. A: Which is weaker?
어느 것이 힘이 더 약하니?
B: The fox is weaker than the bear.
(is / than / The fox / weaker / the bear)
여우가 곰보다 힘이 더 약해.

C 그림을 보고, 대화를 완성하세요.

1. A: Which is lighter?
B: The box is lighter than the ball.
2. A: Which is slower?
B: The red car is slower than the blue car.
3. A: Which is stronger?
B: The tiger is stronger than the dog.

창의 서술형

D 여러분이 비교하고 싶은 두 대상을 그린 후 대화를 완성하세요.

A: Which is faster?
B: The horse is faster than the cat.

148 • 똑똑한 하루 VOCA Level 4 B • 149

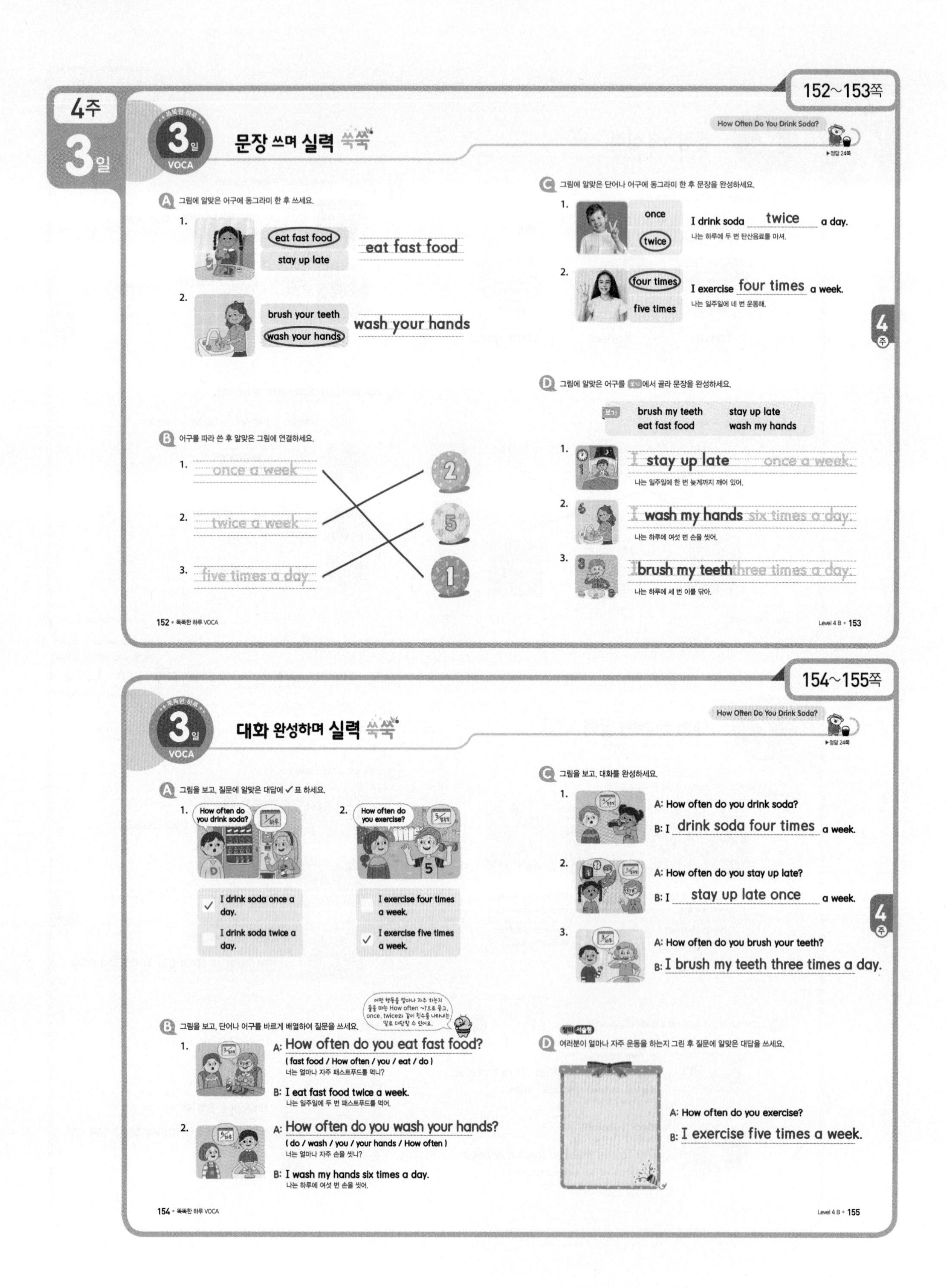
152~153쪽
4주 3일
3일 VOCA
문장 쓰며 실력 쑥쑥
How Often Do You Drink Soda?
▶정답 24쪽
A 그림에 알맞은 어구에 동그라미 한 후 쓰세요.
1. eat fast food / stay up late — eat fast food
2. brush your teeth / wash your hands — wash your hands
B 어구를 따라 쓴 후 알맞은 그림에 연결하세요.
1. once a week
2. twice a week
3. five times a day
C 그림에 알맞은 단어나 어구에 동그라미 한 후 문장을 완성하세요.
1. once / twice — I drink soda twice a day.
나는 하루에 두 번 탄산음료를 마셔.
2. four times / five times — I exercise four times a week.
나는 일주일에 네 번 운동해.
D 그림에 알맞은 어구를 보기에서 골라 문장을 완성하세요.
보기 brush my teeth / stay up late / eat fast food / wash my hands
1. I stay up late once a week.
나는 일주일에 한 번 늦게까지 깨어 있어.
2. I wash my hands six times a day.
나는 하루에 여섯 번 손을 씻어.
3. I brush my teeth three times a day.
나는 하루에 세 번 이를 닦아.
152 • 똑똑한 하루 VOCA
Level 4 B • 153
154~155쪽
3일 VOCA
대화 완성하며 실력 쑥쑥
How Often Do You Drink Soda?
▶정답 24쪽
A 그림을 보고, 질문에 알맞은 대답에 ✓표 하세요.
1. How often do you drink soda?
✓ I drink soda once a day.
I drink soda twice a day.
2. How often do you exercise?
I exercise four times a week.
✓ I exercise five times a week.
B 그림을 보고, 단어나 어구를 바르게 배열하여 질문을 쓰세요.
어떤 행동을 얼마나 자주 하는지 물을 때는 How often ~?으로 묻고, once, twice와 같이 횟수를 나타내는 말로 대답할 수 있어요.
1. A: How often do you eat fast food?
(fast food / How often / you / eat / do)
너는 얼마나 자주 패스트푸드를 먹니?
B: I eat fast food twice a week.
나는 일주일에 두 번 패스트푸드를 먹어.
2. A: How often do you wash your hands?
(do / wash / you / your hands / How often)
너는 얼마나 자주 손을 씻니?
B: I wash my hands six times a day.
나는 하루에 여섯 번 손을 씻어.
C 그림을 보고, 대화를 완성하세요.
1. A: How often do you drink soda?
B: I drink soda four times a week.
2. A: How often do you stay up late?
B: I stay up late once a week.
3. A: How often do you brush your teeth?
B: I brush my teeth three times a day.
D 여러분이 얼마나 자주 운동을 하는지 그린 후 질문에 알맞은 대답을 쓰세요.
A: How often do you exercise?
B: I exercise five times a week.
154 • 똑똑한 하루 VOCA
Level 4 B • 155

4주 4일

158~159쪽

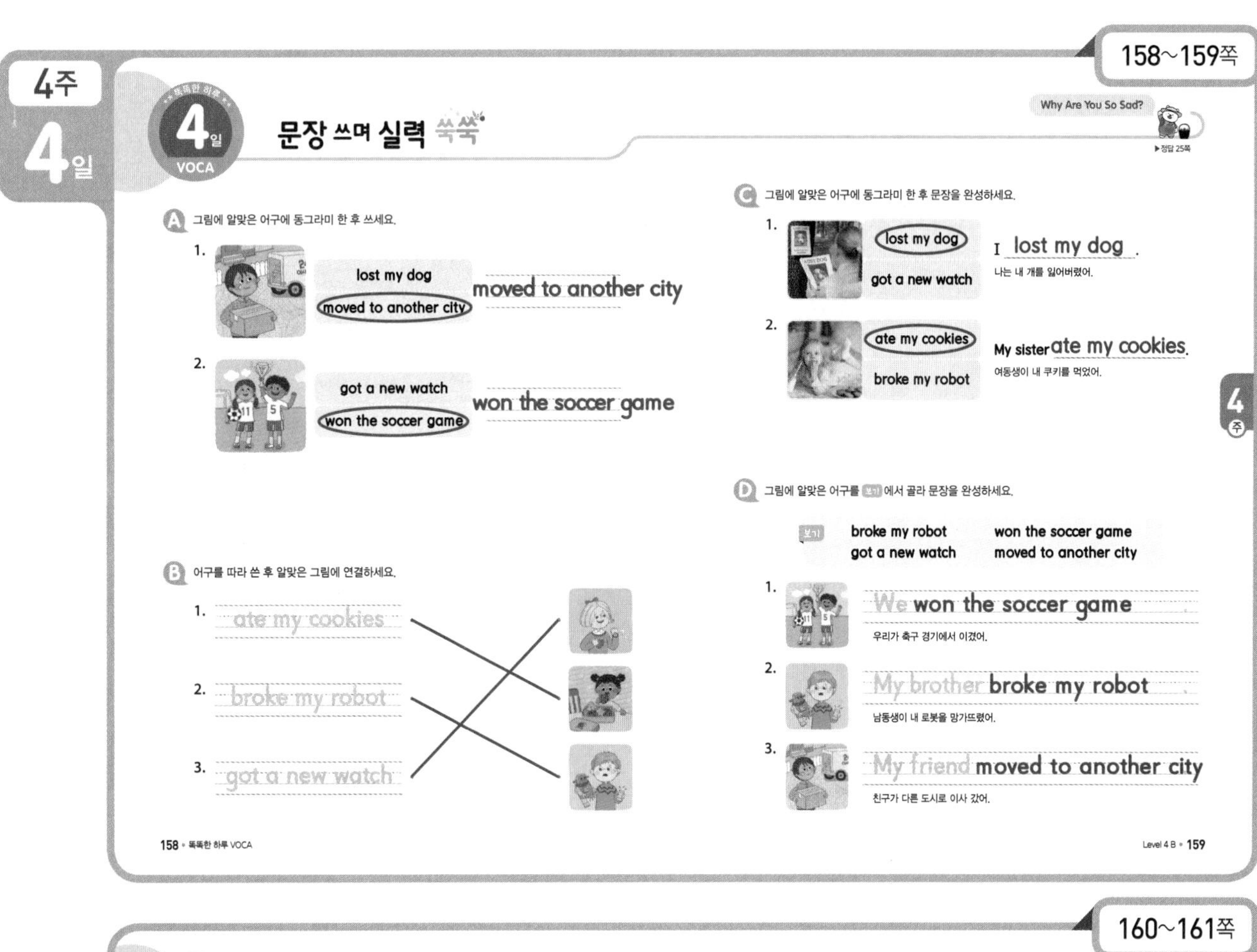

4일 VOCA 문장 쓰며 실력 쑥쑥

Why Are You So Sad?

▶정답 25쪽

A 그림에 알맞은 어구에 동그라미 한 후 쓰세요.

1. lost my dog / (moved to another city) — moved to another city
2. got a new watch / (won the soccer game) — won the soccer game

B 어구를 따라 쓴 후 알맞은 그림에 연결하세요.

1. ate my cookies
2. broke my robot
3. got a new watch

C 그림에 알맞은 어구에 동그라미 한 후 문장을 완성하세요.

1. (lost my dog) / got a new watch — I lost my dog. 나는 내 개를 잃어버렸어.
2. (ate my cookies) / broke my robot — My sister ate my cookies. 여동생이 내 쿠키를 먹었어.

D 그림에 알맞은 어구를 보기에서 골라 문장을 완성하세요.

보기: broke my robot / won the soccer game / got a new watch / moved to another city

1. We won the soccer game. 우리가 축구 경기에서 이겼어.
2. My brother broke my robot. 남동생이 내 로봇을 망가뜨렸어.
3. My friend moved to another city. 친구가 다른 도시로 이사 갔어.

158 • 똑똑한 하루 VOCA　　Level 4 B • 159

160~161쪽

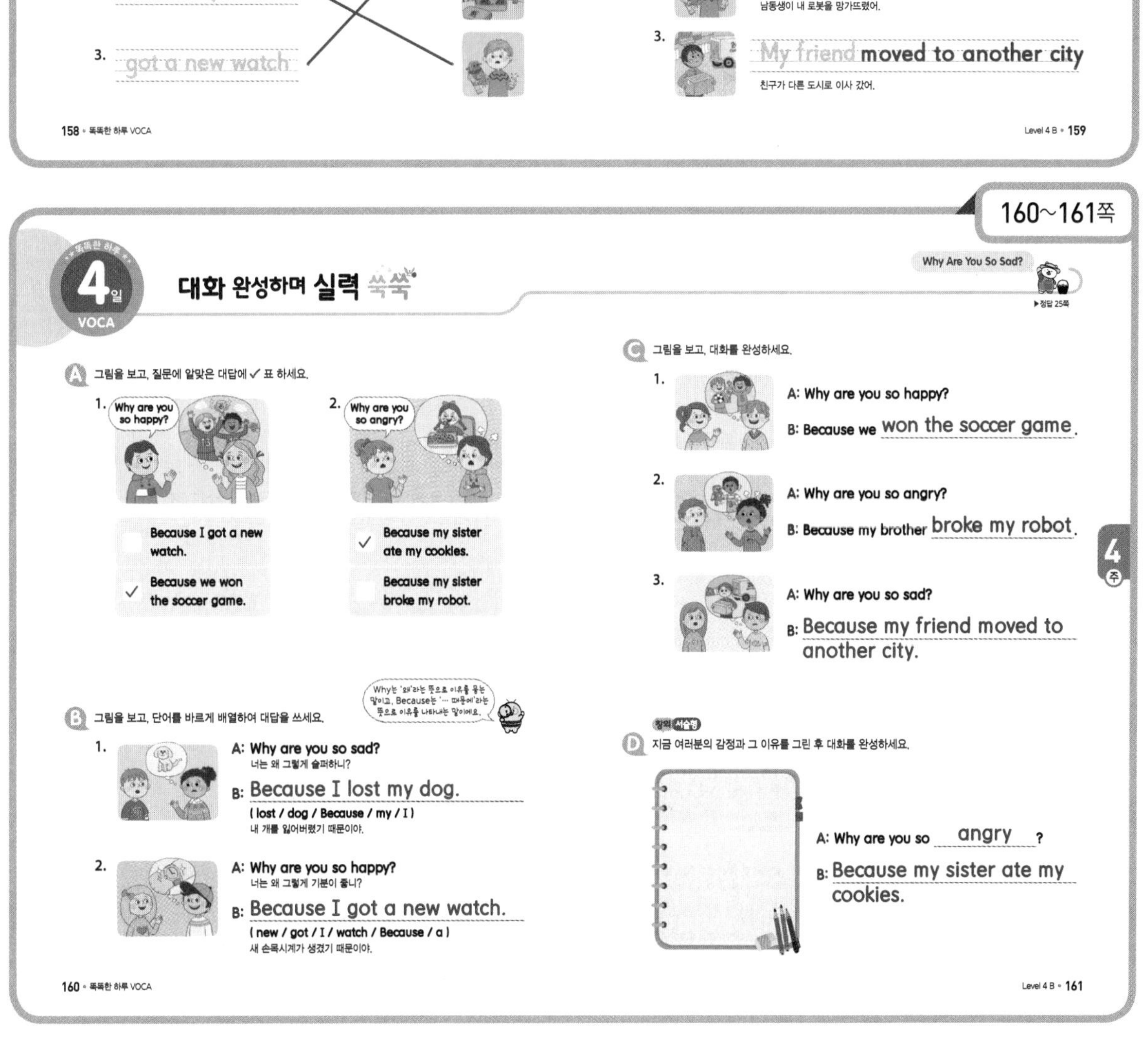

4일 VOCA 대화 완성하며 실력 쑥쑥

Why Are You So Sad?

▶정답 25쪽

A 그림을 보고, 질문에 알맞은 대답에 ✓ 표 하세요.

1. Why are you so happy?
   - Because I got a new watch.
   - ✓ Because we won the soccer game.
2. Why are you so angry?
   - ✓ Because my sister ate my cookies.
   - Because my sister broke my robot.

B 그림을 보고, 단어를 바르게 배열하여 대답을 쓰세요.

Why는 '왜'라는 뜻으로 이유를 묻는 말이고, Because는 '~ 때문에'라는 뜻으로 이유를 나타내는 말이에요.

1. A: Why are you so sad? 너는 왜 그렇게 슬퍼하니?
   B: Because I lost my dog. (lost / dog / Because / my / I) 내 개를 잃어버렸기 때문이야.
2. A: Why are you so happy? 너는 왜 그렇게 기분이 좋니?
   B: Because I got a new watch. (new / got / I / watch / Because / a) 새 손목시계가 생겼기 때문이야.

C 그림을 보고, 대화를 완성하세요.

1. A: Why are you so happy?
   B: Because we won the soccer game.
2. A: Why are you so angry?
   B: Because my brother broke my robot.
3. A: Why are you so sad?
   B: Because my friend moved to another city.

D 창의 서술형 지금 여러분의 감정과 그 이유를 그린 후 대화를 완성하세요.

A: Why are you so angry?
B: Because my sister ate my cookies.

160 • 똑똑한 하루 VOCA　　Level 4 B • 161

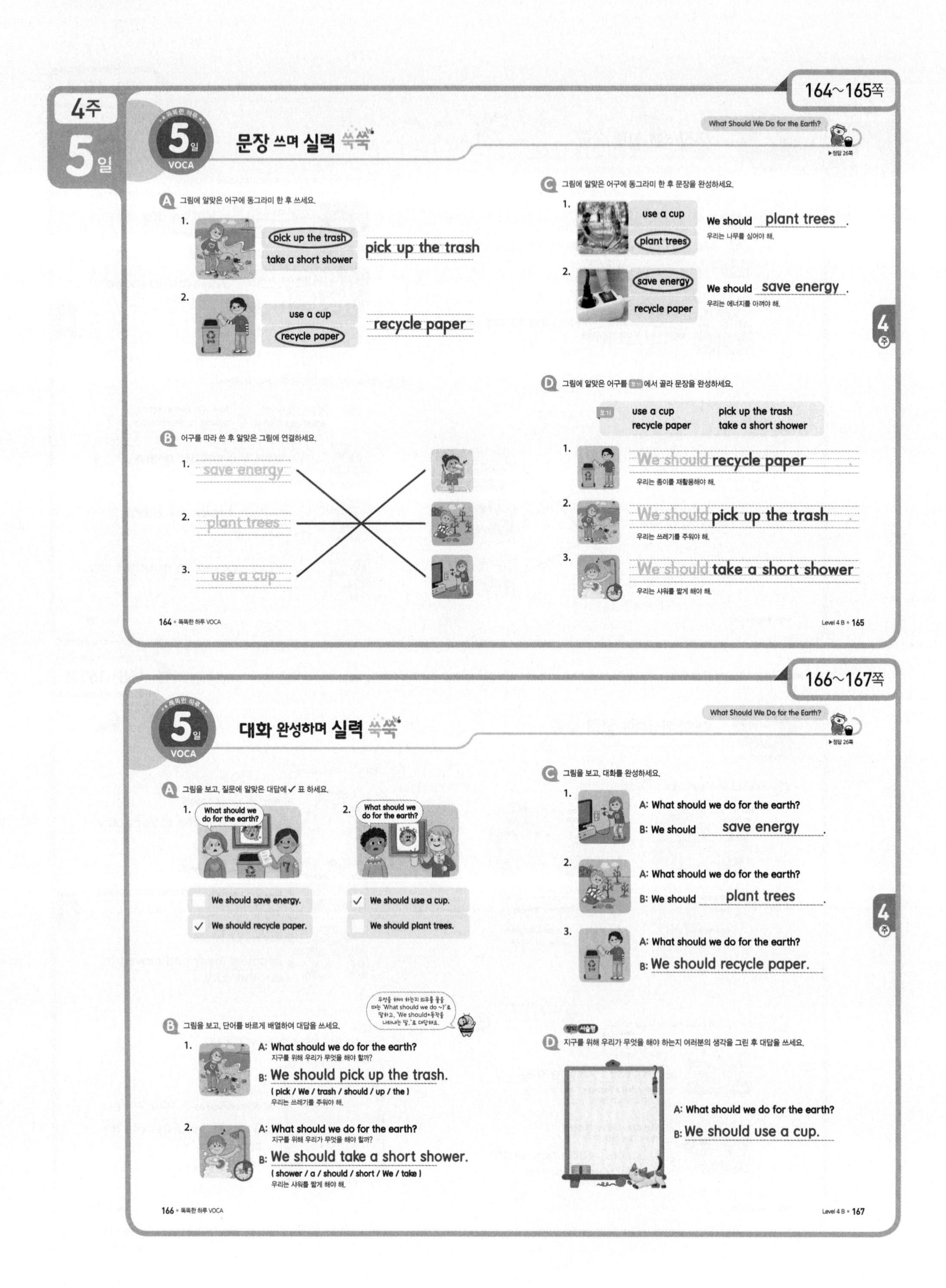

164~165쪽

4주 5일

5일 VOCA

문장 쓰며 실력 쑥쑥

What Should We Do for the Earth?

▶정답 26쪽

A 그림에 알맞은 어구에 동그라미 한 후 쓰세요.

1. (pick up the trash) / take a short shower — pick up the trash
2. use a cup / (recycle paper) — recycle paper

B 어구를 따라 쓴 후 알맞은 그림에 연결하세요.

1. save energy
2. plant trees
3. use a cup

C 그림에 알맞은 어구에 동그라미 한 후 문장을 완성하세요.

1. use a cup / (plant trees) — We should plant trees.
우리는 나무를 심어야 해.
2. (save energy) / recycle paper — We should save energy.
우리는 에너지를 아껴야 해.

D 그림에 알맞은 어구를 보기에서 골라 문장을 완성하세요.

보기: use a cup / pick up the trash / recycle paper / take a short shower

1. We should recycle paper.
우리는 종이를 재활용해야 해.
2. We should pick up the trash.
우리는 쓰레기를 주워야 해.
3. We should take a short shower.
우리는 샤워를 짧게 해야 해.

164 • 똑똑한 하루 VOCA　　Level 4 B • 165

166~167쪽

5일 VOCA

대화 완성하며 실력 쑥쑥

What Should We Do for the Earth?

▶정답 26쪽

A 그림을 보고, 질문에 알맞은 대답에 ✓ 표 하세요.

1. What should we do for the earth?
- [ ] We should save energy.
- [✓] We should recycle paper.

2. What should we do for the earth?
- [✓] We should use a cup.
- [ ] We should plant trees.

B 그림을 보고, 단어를 바르게 배열하여 대답을 쓰세요.

무엇을 해야 하는지 의무를 물을 때는 'What should we do ~?'로 말하고, 'We should+동작을 나타내는 말.'로 대답해요.

1. A: What should we do for the earth?
지구를 위해 우리가 무엇을 해야 할까?
B: We should pick up the trash.
(pick / We / trash / should / up / the)
우리는 쓰레기를 주워야 해.

2. A: What should we do for the earth?
지구를 위해 우리가 무엇을 해야 할까?
B: We should take a short shower.
(shower / a / should / short / We / take)
우리는 샤워를 짧게 해야 해.

C 그림을 보고, 대화를 완성하세요.

1. A: What should we do for the earth?
B: We should save energy.
2. A: What should we do for the earth?
B: We should plant trees.
3. A: What should we do for the earth?
B: We should recycle paper.

창의 서술형

D 지구를 위해 우리가 무엇을 해야 하는지 여러분의 생각을 그린 후 대답을 쓰세요.

A: What should we do for the earth?
B: We should use a cup.

166 • 똑똑한 하루 VOCA　　Level 4 B • 167

4주 특강

168~169쪽

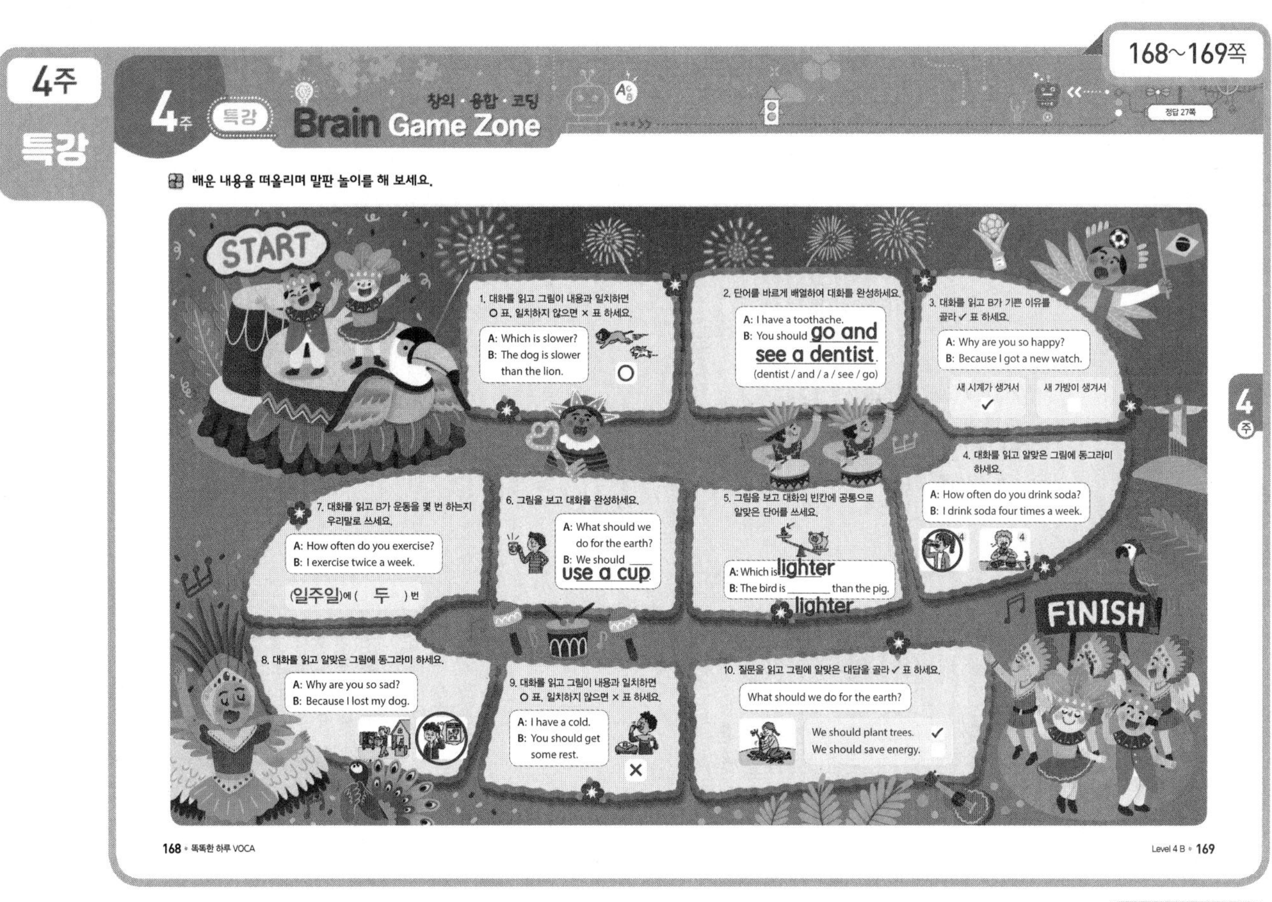

4주 특강 Brain Game Zone 창의 · 융합 · 코딩

배운 내용을 떠올리며 말판 놀이를 해 보세요.

START

1. 대화를 읽고 그림이 내용과 일치하면 ○ 표, 일치하지 않으면 × 표 하세요.
A: Which is slower?
B: The dog is slower than the lion.
○

2. 단어를 바르게 배열하여 대화를 완성하세요.
A: I have a toothache.
B: You should go and see a dentist.
(dentist / and / a / see / go)

3. 대화를 읽고 B가 기쁜 이유를 골라 ✓ 표 하세요.
A: Why are you so happy?
B: Because I got a new watch.
새 시계가 생겨서 ✓ / 새 가방이 생겨서

4. 대화를 읽고 알맞은 그림에 동그라미 하세요.
A: How often do you drink soda?
B: I drink soda four times a week.

5. 그림을 보고 대화의 빈칸에 공통으로 알맞은 단어를 쓰세요.
A: Which is lighter?
B: The bird is lighter than the pig.

6. 그림을 보고 대화를 완성하세요.
A: What should we do for the earth?
B: We should use a cup.

7. 대화를 읽고 B가 운동을 몇 번 하는지 우리말로 쓰세요.
A: How often do you exercise?
B: I exercise twice a week.
(일주일)에 (두) 번

8. 대화를 읽고 알맞은 그림에 동그라미 하세요.
A: Why are you so sad?
B: Because I lost my dog.

9. 대화를 읽고 그림이 내용과 일치하면 ○ 표, 일치하지 않으면 × 표 하세요.
A: I have a cold.
B: You should get some rest.
×

10. 질문을 읽고 그림에 알맞은 대답을 골라 ✓ 표 하세요.
What should we do for the earth?
We should plant trees. ✓
We should save energy.

FINISH

168 • 똑똑한 하루 VOCA　　Level 4 B • 169

170~171쪽

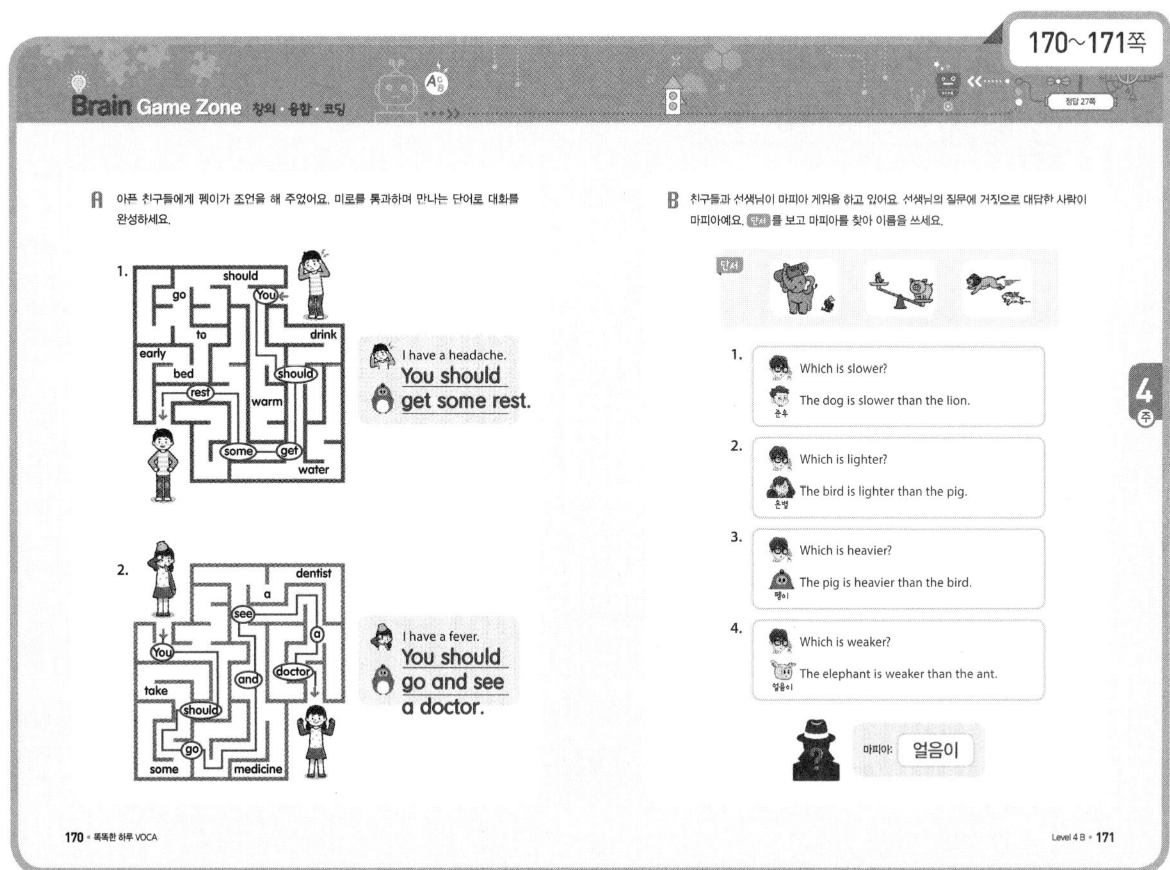

Brain Game Zone 창의 · 융합 · 코딩

A 아픈 친구들에게 펭이가 조언을 해 주었어요. 미로를 통과하며 만나는 단어로 대화를 완성하세요.

1. I have a headache.
You should get some rest.

2. I have a fever.
You should go and see a doctor.

B 친구들과 선생님이 마피아 게임을 하고 있어요. 선생님의 질문에 거짓으로 대답한 사람이 마피아예요. 단서를 보고 마피아를 찾아 이름을 쓰세요.

1. Which is slower?
The dog is slower than the lion.

2. Which is lighter?
The bird is lighter than the pig.

3. Which is heavier?
The pig is heavier than the bird.

4. Which is weaker?
The elephant is weaker than the ant.

마피아: 얼음이

170 • 똑똑한 하루 VOCA　　Level 4 B • 171

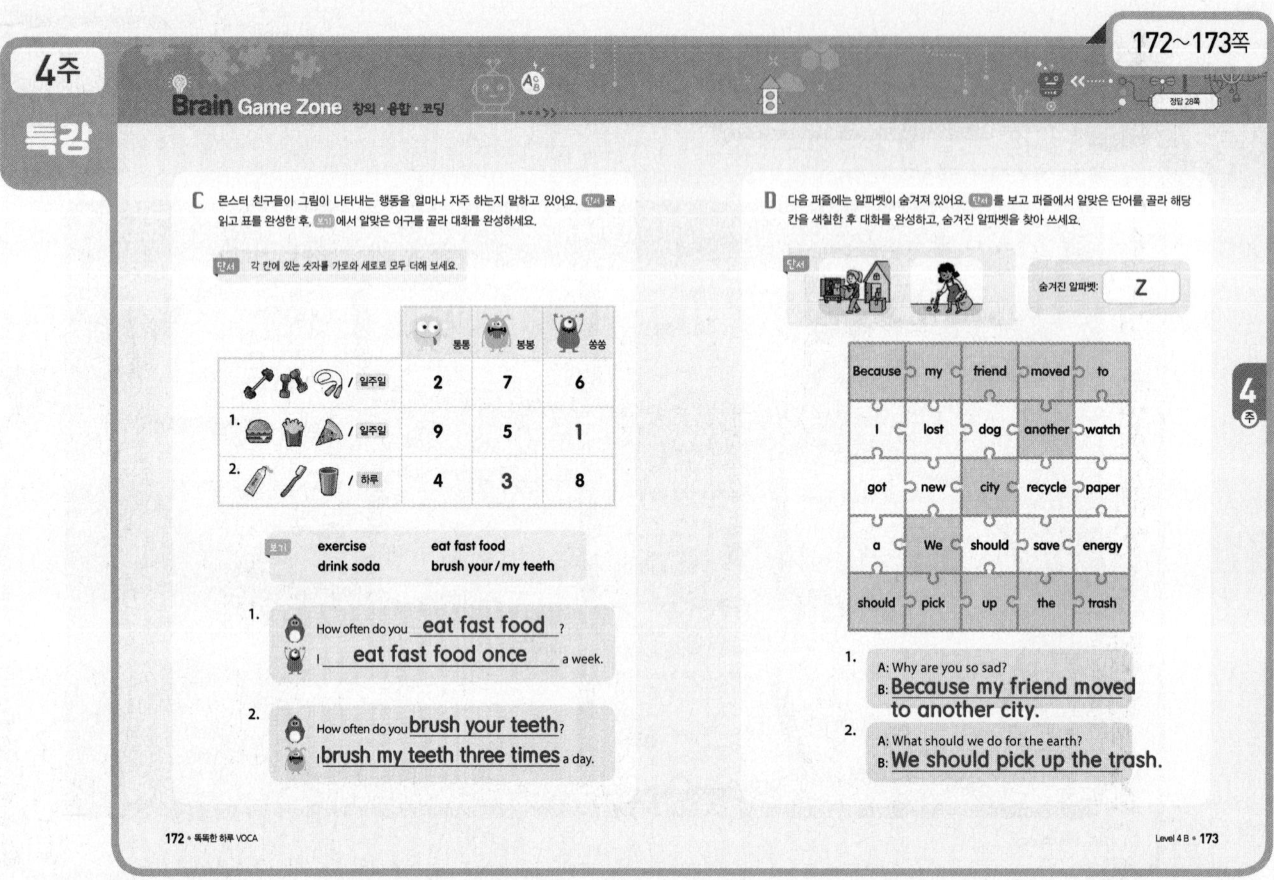

172~173쪽

4주 특강

Brain Game Zone 창의 · 융합 · 코딩

정답 28쪽

C 몬스터 친구들이 그림이 나타내는 행동을 얼마나 자주 하는지 말하고 있어요. 단서 를 읽고 표를 완성한 후, 보기 에서 알맞은 어구를 골라 대화를 완성하세요.

단서 각 칸에 있는 숫자를 가로와 세로로 모두 더해 보세요.

	통통	붕붕	쑹쑹
/ 일주일	2	7	6
1. / 일주일	9	5	1
2. / 하루	4	3	8

보기 exercise / eat fast food / drink soda / brush your / my teeth

1. How often do you eat fast food?
I eat fast food once a week.

2. How often do you brush your teeth?
I brush my teeth three times a day.

D 다음 퍼즐에는 알파벳이 숨겨져 있어요. 단서 를 보고 퍼즐에서 알맞은 단어를 골라 해당 칸을 색칠한 후 대화를 완성하고, 숨겨진 알파벳을 찾아 쓰세요.

단서

숨겨진 알파벳: Z

Because	my	friend	moved	to
I	lost	dog	another	watch
got	new	city	recycle	paper
a	We	should	save	energy
should	pick	up	the	trash

1. A: Why are you so sad?
B: Because my friend moved to another city.

2. A: What should we do for the earth?
B: We should pick up the trash.

172 • 똑똑한 하루 VOCA　　Level 4 B • 173

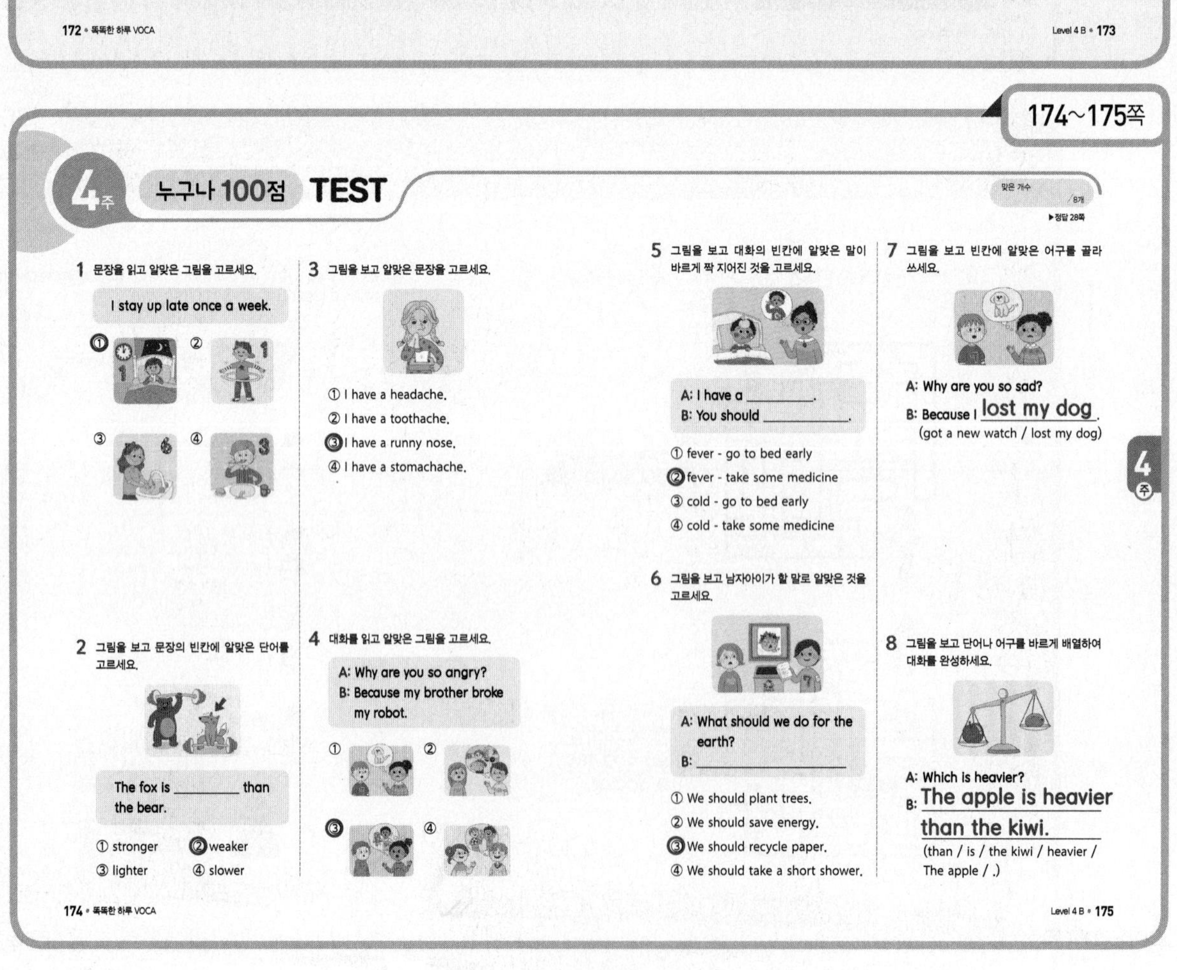

174~175쪽

4주 누구나 100점 TEST

맞은 개수 /8개
▶정답 28쪽

1 문장을 읽고 알맞은 그림을 고르세요.

I stay up late once a week.

❶ ② ③ ④

2 그림을 보고 문장의 빈칸에 알맞은 단어를 고르세요.

The fox is ______ than the bear.

① stronger ❷ weaker
③ lighter ④ slower

3 그림을 보고 알맞은 문장을 고르세요.

① I have a headache.
② I have a toothache.
❸ I have a runny nose.
④ I have a stomachache.

4 대화를 읽고 알맞은 그림을 고르세요.

A: Why are you so angry?
B: Because my brother broke my robot.

① ② ❸ ④

5 그림을 보고 대화의 빈칸에 알맞은 말이 바르게 짝 지어진 것을 고르세요.

A: I have a ______.
B: You should ______.

① fever - go to bed early
❷ fever - take some medicine
③ cold - go to bed early
④ cold - take some medicine

6 그림을 보고 남자아이가 할 말로 알맞은 것을 고르세요.

A: What should we do for the earth?
B: ______

① We should plant trees.
② We should save energy.
❸ We should recycle paper.
④ We should take a short shower.

7 그림을 보고 빈칸에 알맞은 어구를 골라 쓰세요.

A: Why are you so sad?
B: Because I lost my dog.
(got a new watch / lost my dog)

8 그림을 보고 단어나 어구를 바르게 배열하여 대화를 완성하세요.

A: Which is heavier?
B: The apple is heavier than the kiwi.
(than / is / the kiwi / heavier / The apple / .)

174 • 똑똑한 하루 VOCA　　Level 4 B • 175

정답은
이안에
있어!

기초 학습능력 강화 프로그램

매일 조금씩 공부력 UP!

하루 독해 하루 어휘 하루 글쓰기 하루 VOCA

하루 수학 하루 계산 하루 도형 하루 사고력

하루 사회 하루 과학

과목	교재 구성	과목	교재 구성
하루 수학	1~6학년 1·2학기 12권	**하루 사고력**	1~6학년 A·B단계 12권
하루 VOCA	3~6학년 A·B단계 8권	**하루 글쓰기**	예비초~6학년 A·B단계 14권
하루 사회	3~6학년 1·2학기 8권	**하루 한자**	1~6학년 A·B단계 12권
하루 과학	3~6학년 1·2학기 8권	**하루 어휘**	1~6단계 6권
하루 도형	1~6단계 6권	**하루 독해**	예비초~6학년 A·B단계 12권
하루 계산	1~6학년 A·B단계 12권		

※ 각 교재별 출간 시기는 조금씩 다르며, 일부 교재는 순차적으로 출시될 예정입니다.

배움으로 행복한 내일을 꿈꾸는

천재교육 커뮤니티 안내

교재 안내부터 구매까지 한 번에!

천재교육 홈페이지

천재교육 홈페이지에서는 자사가 발행하는 참고서,
교과서에 대한 소개는 물론 도서 구매도 할 수 있습니다.
회원에게 지급되는 별을 모아 다양한 상품 응모에도
도전해 보세요.

구독, 좋아요는 필수! 핵유용 정보 가득한

천재교육 유튜브 <천재TV>

신간에 대한 자세한 정보가 궁금하세요?
참고서를 어떻게 활용해야 할지 고민인가요?
공부 외 다양한 고민을 해결해 줄 채널이 필요한가요?
학생들에게 꼭 필요한 콘텐츠로 가득한 천재TV로 놀러 오세요!

다양한 교육 꿀팁에 깜짝 이벤트는 덤!

천재교육 인스타그램

천재교육의 새롭고 중요한 소식을 가장 먼저 접하고 싶다면?
천재교육 인스타그램 팔로우가 필수!
누구보다 빠르고 재미있게 천재교육의 소식을 전달합니다.
깜짝 이벤트도 수시로 진행되니 놓치지 마세요!